獻給　二十一世紀的中華兒女

文化中國，有堂堂正正的中國人
文明台灣，有頂天立地的台灣人

兩岸一家親，兩岸一起興
共擁中華情，共圓中華夢

BGB479 社會人文

文明台灣

六十年的學與思

高希均 著

目錄

第二部 經濟是文明台灣的基礎

第三部 學習重要人物的思維與實踐

第四部 八〇年代走訪文明掙扎中的共產世界

第五部 文明靠自己，讀「書」不「輸」

自序

共推「文明清單」，邁向「文明台灣」

——追求六大願景極大化

（一）背景：六十年前的第一步

今年二〇一九年九月剛好是我一九五九年去美國讀書的六十年。那時的台灣每人每年所得不到一百美元，大學畢業生的月薪台幣八百元（美金二十元），那還是一個三輪車、收音機、電風扇的年代，沒有冰箱、冷氣、電視。

當時的台灣，內有百廢待舉的建設，外有對岸強大的軍事威脅，但那是一個克難奮鬥、意志高昂的年代。

就物質享受，一無所有；就精神意志，則一無所懼。正是這種全民的意志力，創造了一九五〇～一九八〇年代的經濟起飛，贏得了台灣經濟奇蹟及四小龍龍頭的讚譽。

自己就在這種大環境下，一九五八年讀完大學。次年幸運地獲得了美國大學的助教獎學金出國讀書，跨出了面對西方陌生世界的第一步，展開了一生受益的學習之旅。

這本文集記錄了六十年來在台灣、美國、大陸、蘇聯及東歐、以色列等地參訪中的所見所思。

進入二十一世紀，落葉歸根，回到台灣。此刻，曾經是民主的櫥窗已變成了民粹，曾經有穩定的兩岸關係已變成了對峙。

大陸花了四年多時間，三千五百億台幣，剛在北京啟用最先進的大興飛機場；據報導台灣要花三千五百億以上向美國購買六十六架F-16戰機，幾年後才能完全交貨；桃園國際機場第三期擴建工程則一再流標。這真是個不進則退的世界，個人的百感交集，完全微不足道；但想到下一代人的命運，則不寒而慄。

(二)「文明的代價」：硬體文明及軟體文明

自己所能做的還是堅持進步觀念的傳播，在混亂的世局中，大家集中意志努力構建一個「文明台灣」。四年一次的總統大選正熱烈展開，每逢選舉，空頭的政治支票就層出不窮，政客們從不敢講清楚經費來源，選民也就習以為常。這個「民主病」在台灣社會愈演愈烈。

四十年前我鼓吹：不要「白吃午餐」。近十年來當我不斷地說，我讀的是經濟，關心的是教育，嚮往的是文明，追求的是和平。很興奮地看到「文明」的課題愈來愈受到普遍的重視。哈佛大學歷史學者弗格森（Niall Ferguson）的《文明》一書（聯經，二〇一二）提出了西方文明為什麼能統馭世界的重要解釋。他認為西方國家過去五百年，發展出的競爭、科學、財產權、醫學、消費社會與工作倫理，是西方文明超越東方的六大利器。

另一位哥倫比亞大學的經濟學者薩克斯（Jeffrey D. Sachs）所寫的《文明的代價》（*The Price of Civilization*），則以「混合型經濟」為討論主軸，分析構建一個文明社會所需要做的各種努力（天下文化，二〇一三）。

大家所嚮往的「文明社會」是泛指匯聚的社群，擁有高度文化水準，科技發展，多元創新的制度，相互包容尊重的生活方式，以及共同致力於永續發展。要構建及維繫這種「文明」，社會就要付出「代價」或「成本」。

這個「代價」包括兩方面：一是具體數字的成本面（如機場、大學、圖書館、醫院；現代化的基礎建設，如電訊、金融、法院），這需要花很多資金及多年時間，這就是為「硬體文明」所負擔的支出、費用及納稅；另一方面是難以數字化表現的抽象面，如具有文明素養的公民，參與公眾事務，分享財富，發揮公平正義的同理心等等。這些均需要時間、愛心及參與的投入，這是「軟體文明」，可以無形的「代價」來概括。

(三)「文明清單」：有八個目標

民主社會選民永遠受到政治人物的選舉買票所操弄。當這些支票一再落空時，只能怪自己太天真。選民的記憶是健忘的，在下一次選票中，又常投給了最會開空頭支票的人。

在民主社會中的公民，此刻必須認清：少寄望於政府，多寄望於自己。自己應當負起責任，努力兌現社會需要的「文明清單」。這張「文明清單」共有八項目標：

(1) 社會要擁有現代化的基本設施與生活環境。

(2)社會要擁有文化、教育、科技、醫藥、環保等高度水準。
(3)人人要有同等的權力、義務與機會，不能有性別、宗教、膚色、方言等歧視。
(4)個人不能變成社會的負擔，因此要自立自主。
(5)個人要變成是社會的資產，因此要分享、分擔。
(6)沒有戰爭的復活、民粹的恐懼、貧窮的威脅、不公不義的傷痛。
(7)政府與民間要共有「與時俱進」的危機感及改革。
(8)政府與民間要共有融入世界的決心與政策。

如果若干年後真能達到這種境界，那麼我們的文明程度就已經超越了今天歐美國家，我們不要自卑得連想都不敢這樣想。

弗格森教授在《文明》一書中就指出：美國四六%的民眾認為「中國能取代美國成為超強」，並且寫著：「我們很可能親眼目睹西方過去五百年的優勢遭到逆轉。」

這位在牛津與哈佛執教的學者所做的冷靜的預判能否成真：不要看中國人的

雄心與壯志，要看中國人的理性與智慧。

（四）「文明清單」需要全民支撐

文明世界中最可靠的不是政府的承諾、企業的善意、第三方的支付，而是自己的實力與愛心。

這張「文明清單」之能夠實現，必須要有三個自我實踐做支撐：人文思維、社會良知、中華情懷。

1. 人文思維：綜合威斯康辛大學葛洛能（William Cronon）教授的話——
   (1) 耐心地聽，並且聽到了別人在說什麼。
   (2) 勤於閱讀，可與任何人溝通。
   (3) 寫得很清楚，彼此尊重、寬容與自我批評。
   (4) 自己清楚要在現實世界中把事情做對。
2. 社會良知：引述薩克斯教授書中的建議——
   (1) 自身要節制，避免大量消費，工作與休閒平衡。
   (2) 重視知識與教育，樂意與人合作。

(3)保護地球生態，未來發展有責任感。
(4)參與公眾事務，培養共同價值。
(5)對世界抱多元觀點，建立和平社會。

3.中華情懷：不論身在何處，做為中華民族的一份子，擁有世代傳承下來的這份民族情操——
(1)對中國百年的屈辱有悲情。
(2)對中華歷史與文化有熱情。
(3)對中華傳統與倫理有深情。
(4)對中華錦繡河山有鄉情。
(5)對本土與原鄉有真情。

(五)「文明台灣」六大願景極大化

如果盡全民之力無法兌現這一張「文明清單」，我們也就難以指責政治人物無法兌現他們的「競選支票」。

我常引用美國大法官霍姆斯（O. W. Holmes, Jr.）的遠見：「我歡喜付稅，因為稅金可以購買文明。」

《文明台灣》這本書，是銜接二〇一五年出版的《開放台灣》。四年前寫那本書時，我指出：

- 開放，才有出路；開放，才能走向文明。
- 「開放」是一個政府奮進的策略；「文明」則是全體國人的歸宿。全體人民，如果拋棄意識型態，凝聚共識，一步一腳印，共同努力二十年，

在二〇四〇年代，世界上或將有可能看到一個「文明台灣」的燦爛。如果真能如此，燦爛的「文明台灣」，就會同時擁有六項願景的「極大化」：

(1) 教育普及：個人聰敏、才智，機會就可極大化。
(2) 經濟成長：個人獨立、自主，夢想就可極大化。
(3) 人民福祉：個人尊嚴、安全，幸福就可極大化。
(4) 全民分享：個人捨得、美德，慷慨就可極大化。
(5) 和平雙贏：兩岸一家親、一家情，兩岸互信就可極大化。
(6) 文明提升：社會進步、永續發展，國家驕傲就可極大化。

第一部

與文明世界觀念激盪

一九五九年，一個二十三歲的青年，幸運地有機會去美國主修經濟發展。研讀過程中，最大的驚喜來自「新觀念」的衝擊，第一次真實地看到了安定、自由、富裕、文明的現代社會。從此，我最嚮往的就是「和平」，最反對的就是「戰爭」。我決心要做一位提倡進步觀念的自由人。

什麼是觀念？觀念就是一種看法、一種推理、一種思想；它同時也反射了一種意願、一種嘗試、一種嚮往。它表達了一個人的價值標準、專業知識，以及道德勇氣。

進步的觀念，就是在法治與民主的天秤下，促進經濟效率、社會公平、文化進步與生活品質。它向特權、壟斷、保護、惰性等現象挑戰。「進步觀念」之難以普及，不論是由於迷信、私心、無知、價值觀，都影響了國家現代化的方向與速度。

01

人生的時鐘正向東移

學與思

- 在學術自由的美國，有哪些值得向台灣與大陸推廣的觀念，值得我們學習？
- 要富國、興國，除了「民主」與「科學」，還需要「經濟」、「教育」和「文明」。
- 「制度」比「英雄」重要，英雄主導建立的制度，常常在滿足英雄雄心，而非人民民心。

留學路

松山機場告別，雙親認為此生再也無法看到家中唯一的男孩。六百美元的單程機票，耗盡了他們所有的人情——一張票、一世情。飛機往東飛，這個軍人子弟在腦中盤旋：留學路不要變成不歸路。

一九五九年秋，這個青年人，從台灣到新大陸修習經濟發展。他知識基礎淺薄，自我期許沉重。羞澀的行囊中裝了一份助教獎學金、一本厚厚的英漢字典及一個強烈的求知欲。

今年十月在美國，剛好在異鄉作客四十年。四十年過去了，他，形式上，落地已生根，家在美國；感情上，落葉要歸根，心在中國。

「中國」不再是地理上的秋海棠。「中國」象徵著歷史的傳承，文化的認同，以及海外華人對大中華地區（大陸、台灣、港澳）未來發展的關注。

哥倫比亞大學經濟教授孟岱爾（Robert A. Mundell），因多年來提倡歐盟統一貨幣——歐元，獲得今年諾貝爾經濟獎。他在想，如果中國學者能在學理上提出「華元」，推動兩岸三地經濟整合，克服政治障礙，形成「經濟中國」，那麼終有一天也會出現另一位受人推崇的東方孟岱爾。

他出生的江南，因改革而又現生機；他成長的台灣，因發展而躍升為亞洲小龍；他讀書與教書的美國，則又超越了「越戰教訓」、「水門事件」，變成了世紀之交唯一的超級強國。

四十年中，在學術自由的美國，孕育了一些他認為值得向台灣與大陸推廣的觀念。他相信：真正推動社會進步的力量，不是革命的狂熱，也不是自私的冷靜，更不是自卑的自大與崇洋的抄襲，而是提出適合國情的現代觀念，使其推廣與實踐。

十多年來，他盡量挪出較多的時間在台灣，一些時間在大陸，來傳播觀念。掌聲沒有帶來自喜；噓聲沒有減少自信。他一心希望家國從此可以掙脫一個多世紀以來列強所有的刻板印象：中國是貧窮的，中國人是愚昧的。

從一九六九年起，每個暑期像候鳥一樣，回到台灣。第一個諮詢工作就是接受經合會的邀請，回台參與人力資源規劃。那一年他得以認識此後一生敬佩的李國鼎先生，以及人力專家鎮天錫、徐立德等。

第一次回到大陸是一九八八年，已是離開那片土地三十九年之後。

那年五月，在對北大師生的演講中指出：「如果當年五四運動，除了提倡『民主與科學』之外，包括了『經濟』與『教育』，中國的近代歷史是否就會改寫？」

民主可以治國，科學可以強國。沒有經濟，如何富國？沒有教育，如何興國？

因此，當他的四本書：《經濟人、社會人、文化人》、《天下哪有白吃的午餐》、《觀念播種》、《構建一個乾淨社會》先後在北京與上海出版時，感覺到似乎盡了一些讀書人的責任。

最可惜的是，一九四九年以後，當台灣與大陸各有五十年的發展成就之後，兩邊還無法建立起互信的機制與雙贏的架構。兩岸國家領導人無法打破對這種不幸的現實，自要負起最大的歷史責任。

他曾預測，更一再期盼：如果兩岸領導人能握手言和，真正地展開「中國人幫中國人」的新契機，那麼他們一定是當年諾貝爾和平獎的得主。

和平獎一直與他們絕緣，因為兩岸和平一直與兩岸人民絕緣。

這真是二十世紀末兩岸中國人所面對的最大悲劇；而且還不能低估那已經埋

下的戰爭火種有它引爆的可能。

「把狗也當人」的社會

離開「中國」這個題目，他就變成了一個樂觀的知識份子。探討一個國家的富裕，一個社會的進步，一個人的福祉，是他工作與寫述上最大的樂趣。

做為一個旁觀者，他認為美國的富裕與進步來自：得天獨厚的資源，拓荒者的冒險精神，以及對個人價值的肯定。初到美國，他就立刻體會到：「這是一個把人當人，把狗也當人的社會。」

美國人血液中的獨立、自信、嘗試、冒險，集中在高科技上時，做出了最突出的表現。美國已從「冷戰時代」的自由世界兵工廠，變成了「網路時代」的高科技集散中心。矽谷不僅變成了富可敵國科技企業家的發源地，也將在二十一世紀變成新科技文明的長江。誰能想像當年就在那一幢幢整齊乏味的建築中，蹦蹦跳跳的年輕小伙子，就在那裡日以繼夜地策動了一場驚天動地的網路革命？

人人有成功的機會，人人有失敗的自由，這就是公平的美國。

大家向前看，大家向錢看，這就是功利的美國。
有眾多的百萬富翁，有眾多的貧窮家庭，這就是殘缺的美國。
處處有大愛，時時有槍殺，這就是迷惑的美國。
右手拿木棒，左手拿胡蘿蔔，這就是官方的美國。
四十年來，他一直住在中西部的大平原上以及大學城中。那是淳樸、自由、開放、歧視少、犯罪少、失業低的環境。對他來說，美國的可貴，不在它既有的財富，而在它未來的機會；美國的可愛，不僅是社會富裕孕育出來的生活情趣，更在於科技突破帶來的顛覆；美國之最令人嚮往，就在於它就是一個可以自由自在、自我發展的自由天地！

八位平凡的美國總統

民主政治的一個代價，就是「好人不一定能出頭」的定期選舉。它花時、花錢；它產生可怕的社會成本，甚至社會分裂。為了選舉，幾乎用盡一切可能的手段。尼克森的被迫辭職，即是自辱的一例。
四十年前，這個在威權社會中長大的年輕人，當然立刻會被美國民主政治的多姿多采所吸引。他認真地觀察過十次總統大選，並且不斷思考，對發展中的台灣與大陸有什麼借鏡之處？

從甘迺迪到柯林頓，其間包括福特在內，共出現八位總統。就他的主觀評斷來說：甘迺迪提出了偉大的願景，但不幸遇刺，而未見實際政績。詹森的「大社會」計劃是內政上的大突破，但越戰成了他的致命傷。尼克森敲開了中國大門，由冷戰鬥士變成和平使者，是他輝煌的一刻；「水門事件」被迫下台，變成終身遺恨。福特平庸，特赦尼克森受到普遍指責。卡特全方位的事必躬親，只見苦勞未見功勞。雷根內政上的親企業，軍事上的鬥蘇聯，再加上他動人口才，使這位「小事糊塗，大事清楚」的演員總統，廣受人民支持。布希任內經歷蘇聯崩潰、冷戰終結與伊拉克戰役，意外敗於柯林頓。柯林頓之能言善道，尤勝甘迺迪；任內美國經濟空前繁榮與國力強盛，但無法彌補其道德行為的嚴重錯誤。

這八位總統，經美國三十餘位專家學者的評比，其中沒有一位被公認是「偉大」的總統（如傑弗遜），甚至「接近偉大的」總統（如羅斯福）。但是，美國的國力以及在世界的地位，卻有增無減。美國的成就歸功於英雄者少，歸功於制度者多。

這是一個重要的見證：在一個體制健全、人民參與、輿論功能發揮、民主與法治的社會，個人的政治影響力——包括在和平時期的總統——已不易有舉足輕重的地位。雷根常自嘲是「位高、名重、權大、但是影響力小的人物。」在今天美國的總統制之下，容易產生一位平庸的總統，但不易產生一位獨裁的總統。對愛好民主自由的美國人民來說，獨裁遠比平庸可怕。

非常時期，英雄改寫歷史。民主時代，不需要渴求英雄，而要渴求完整制度的建立。海峽兩岸的人民要趕快認清：「制度」比「英雄」重要。尤其不要忽視：英雄主導建立的制度，常常在滿足英雄雄心，而非人民民心。

人生的時鐘

坐在秋天楓葉紛飛的書房，面對一壁的西文書，另一壁的中文書，他告訴來訪的美國友人：上天已經太寬待我了。生於中國的戰亂，長於台灣的憂患，但執教於個人思想可以馳騁的大學學府中。這位天生的樂觀主義者——

對中國，嚮往它古老的文明，以及它釋放的潛力；

對台灣，驕傲它人民的勤奮，以及它旺盛的生命力；對美國，沉醉它四面八方的開放與無所不在的人性尊嚴。

近年來當他奔波於太平洋兩岸的頻率增加時，他常對年輕一代說：美國提供了孕育成長的氣候，台灣提供了參與推動的機會，大陸提供了可以想像的空間。

十一年前第一次去北京，在方勵之教授家中聚晤時，方教授深信：「長期來看，我對中國前景是樂觀的。」這個「長期」在學經濟的看來，不能超過半世紀。

「漂泊，你的名字是中國！」邵玉銘教授曾寫過：「歸根，你的嚮往是東方！」這該是記錄他這個漂泊者內心最深沉的吶喊。

人生時鐘上的長針，已由西向東移，落葉是否正隨著生命的季節飄洋歸根？

一九九九年十一月

02

做研究生時寫的第一本書：《經濟發展導論》

學與思

- 一九六〇年代的台灣國民所得雖然不高，卻有一股奮發上進的生命力，砥礪著學子努力求學，回報家國。
- 積極推動重大政策和提攜後輩的首長如孫運璿、李國鼎、王作榮等，對台灣的經濟成長具有決定性的影響。

（一）

我的一生分散在三個世界：江南的童年、台灣的青少年、美國的成年。前二十三年在古老的中國。所學、所思、所見、所聞，全是中國的、中華的、中式的。儘管在西方人的眼中，那是一個貧窮的土地、一個分裂的國家、一個落後的民族、一個保守的文化；但是在台灣成長的那一代年輕人卻都胸懷壯志。

一九五九年九月到達南達科達州立大學校園，眼前出現的，就是一個夢寐以求的讀書環境；住在一位慈祥熱心老太太的二層樓洋房中，所有那時在台灣嚮往的現代化設備——從電話、冰箱到電視，我都可以享用。

人間真有這樣開放、自由與富裕的國家。

從那一刻開始，更堅定了志向：要使自己的國家變得開放、自由與富裕。

我興奮！我夢想！美國能，台灣有一天也能。

（二）

一九六〇年代，在美國大學的經濟系中，討論落後國家的經濟成長，變成了顯學，這就是「經濟發展」（Economic Development）學科的興起。它變成了我的啟蒙以及終身研讀的領域。

對「經濟發展」二年的苦讀，突然自己覺得有些領悟。除了修經濟系課程，我也修了社會系與政治系的課。儘管開始時吃力，但慢慢地能體會到社會科學之間的相關性。

愛護我的美國教授給了我很多難得的機會：帶我參加學術年會，幫他們出考題、改考卷、計算研究資料、擬定問卷，代他們上課，到當地的民間團體做一些對有關中國的簡短介紹……。一年後，未婚妻也趕來做研究生，讀東海外文的她，驚喜我的英文似乎與她拉近了距離。多年後，洋女婿不小心講出「岳父的英文似乎比岳母好」時，犯下了家規。

每一個新經驗都要準備，都有些緊張，但都有收穫。二年的專心學習，與生活上的融入美國校園，使我相信已可以立足美國。

（三）

一九六〇年代的台灣，平均每人所得一百美元，一個典型的落後地區。每月寄四十美元給雙親時，他們就變成了眷村的「最高收入」者。

從《中央日報》的航空版，從父親及友人的信中，我每一次都被那股台灣社會奮發上進的生命力所感動。政府與民間都有信心：台灣很快就會擺脫「落後地區」的稱呼。

月光洒地，深夜踏雪走回住處，寒風刺骨。內心出現了可以預見的掙扎：是來「留學」？還是「學留」？是要學成歸國？還是落地生根？

終於想出了一個折衷的辦法：人才外流聲中的「知識內流」。

居然在二十五歲，自己就做了一次實驗。

我決定在一九六一年春天修完碩士，九月在密州大讀博士之間的三個月，試寫一本關於經濟發展的入門書。（二十五年後，南州大贈我「傑出校友獎」，回到經濟系演講時，還說到這本書完全是來自母校的教誨。）

（四）

八月底寫完了十萬字，共有四篇十五章。是以西方的學理及經濟發展政策為主軸，提供給當時政府及學術界參考。原稿寄給當時的美援運用委員會主委尹仲容先生，請示他是否值得出版。尹先生回信中告知，已通過審查，將由美援會出版。一生從未見過這位受人尊敬的首長，他前瞻性的財經決策，是台灣的大功臣。

這當然對我是一個極大的鼓勵。稿酬高達一萬元台幣（相當於八個月的家用），當它轉寄到南港眷村時，我可以想像到雙親內心的安慰。一九六二年秋天出版後，收到這本書，還出示給系中的顧應昌院士。這位哈佛博士已去國多年，對中文已陌生，笑著說：「我相信寫得一定都很好。」

很多年後，意外地收到王作榮先生寄來的一個厚信封。赫然見到那本《經濟發展導論》，在扉頁上作榮先生寫著：

此應為高希均兄之第一本經濟著作，對於著名經濟發展理論及促進經濟發展之相關因素，均有精要之分析，已充分顯示出作者見解深入犀利，能綜合眾議，掌握重點之風格，雖距今已二十八年，仍值得研究此一問題之學者及決策官員細讀。作榮時任美援運用委員會參事兼經濟研究中心主任，負責此書之編輯出版，爰綴數語，以資紀念。

王作榮　一九九〇年元旦

這位對台灣經濟發展有卓越貢獻的學者，對後輩的愛護與勉勵，令人難忘。

（五）

二十五歲寫了第一本中文書。二十八歲（一九六四）修畢學位到威斯康辛大學（河城校區）擔任助理教授，四年後升為副教授，七年後（一九七一）升為終身職教授，並出任經濟系系主任。一九七二年赴丹麥哥本哈根擔任訪問教授。

在抵達美國那關鍵的歲月中，我全心全意地磨練自己，要在美國社會做一個受人尊敬的中國教授。

二〇〇四年九月

03

台灣白吃午餐四十年
——從小龍年代到溫水青蛙的警示

學與思

- 一九八〇年代末，台灣贏得華人世界第一個走向民主國家的讚譽，但卻有走向民粹的危險；多數的台灣人民接受了良好的教育，但是還不易擺脫「白吃午餐」心態，政治人物的素質更有待提升。
- 聚焦台灣需要的現代觀念：政黨與民主如何運作、政府應該如何有效治理、企業應該如何創新求變、人民應該如何自求多福
- 政府首長必須要能提供人民有效率的治理。

產生了「五個必然」

自從四十年前《聯合報》總編輯張作錦勇敢地刊出拙文〈天下哪有白吃的午餐〉一文後，兩岸顯著的對比就更容易看清：大陸在改革開放中快速崛起，台灣在白吃午餐與內鬥討好中逐漸衰落。從一九九六年台灣直選總統以來，最大的白吃午餐受益者與製造者，就是政治人物的競選政見與選民，二者都在討好聲中模糊了判斷與是非，忘記了自己的原則與責任。這些慷他人之慨提倡「新」白吃午餐者的特色是：

- 以統獨、族群、正名、制憲等意識型態的議題，激化內部的分裂與少數人的情緒，來贏取選舉。
- 再以國家資源、納稅人的錢以及政府舉債，不斷對特定團體、縣市、區域、年齡、產業……透過補助、獎勵、研發、施惠、公共建設等名目，製造出更多的官商勾結、地方勢力、各種財團，並且造成了獨占與壟斷的既得利益者。

接著產生了五個必然：(1)從政者的「討好」替代了「求好」；(2)既得利益者的要求愈來愈大膽；(3)只要想出冠冕堂皇的計劃名稱，經費就可通行無阻；(4)正派經營的意志愈來愈弱；(5)財政赤字愈來愈不可收拾。在民粹籠罩下，台灣正站在慌張的十字路口。

嚴峻的國內外大環境

一九七〇~八〇年代生命力旺盛的台灣小龍，已變成今天溫水中的青蛙，欲振乏力。這是一個傷感與沉痛的轉變。

有識之士早就看到台灣一步一步地走到這個結局。我只是目擊及評論者之一。重讀這些年來語重心長及相互呼應與重複的文章，只能說自己仍然沒有放棄做一個知識份子的言責。

一九八〇年代末，台灣在浩浩蕩蕩的民主潮流中，沒有政變與流血，贏得了華人世界第一個走向民主國家的讚譽。

令人惋惜的是：除了「投票」的民主，其他的配套完全欠缺，造成了台灣民主根基未堅，民主傳統未建。在一波又一波的選舉中，以仇恨、對立、內鬥來贏取選票聲，「民粹」乘勢而起，「政治正確」替代了理性決策。當國民黨是執政黨時，在立院受到杯葛，議事癱瘓；當民進黨變成執政黨時，立刻靠投票變成了合法的「一黨治國」。

基本上來看，造成台灣衰退的遠因有三：

- 台灣之弊：不擇手段的爭權、奪利以及官商勾結。
- 台灣之病：政治及法律上缺少是非、黑白、對錯。
- 台灣之痛：

(1)「白吃午餐」持續擴大。

(2)「決策錯誤比貪污更可怕」的實例層出不窮。

(3)多數「新台灣人」的表現愈來走向明哲保身的小確幸。

難怪資深媒體人張作錦先生要感嘆：「誰說民主不亡國？」但也需要提醒：「誰說壞人沒惡報？」

尋找翻轉的可能

幸虧台灣是衰，還沒有全垮；台灣是有病，還沒有進入太平間。

五十三年前（一九六四）從助理教授開始教書，此後從未間斷探討一國經濟的盛衰、一個世代的教育發展，以及一個社會追求和平的重要。

在《翻轉白吃的午餐——台灣從小龍年代到溫水青蛙的警示》這本文集中，匯聚了這些年來的觀察，挑選了五十六篇文章，從不同時間、不同層面、不同場景、不同的人物與他們的著作，簡單地說，自己的注意力聚焦於一個大哉問：如何凝聚與時俱進的、台灣需要的現代觀念——政黨與民主如何運作、政府應該如何有效治理、企業應該如何創新求變、人民應該如何自求多福？

如果這些論述真能感動有政治權力的人，以及握有選票的選民，那麼台灣可以東山再起，重振雄風。

這可以從「四不一沒有」啟動：

- 不做虛報佳音的天使。
- 不做財政赤字的聖誕老人。
- 不做「民粹」下的順民。
- 不在全球進步列車中脫班。
- 沒有開放及穩定的兩岸，就沒有安定的台灣。

政府的領導人和握有權力的首長及民代要記住幾個關鍵詞：

- 它不是權力、名位、財勢。
- 它是和平（兩岸）、開放（台灣）、經濟（人民）。

如果政治人物只求長期執政，持續進行不斷的鬥爭與虛浮的建設，就會在矛盾的、衝突的、空轉的政策中，進退失據。

反對兩岸交流，不顧付出代價

回顧二〇一三年十一月參加亞太經合會歸來的蕭萬長副總統所講的話：「台灣只想參加國際組織，卻不知參加的目標，以及所需付出的代價。」用類似的口吻，讓我提醒：「台灣一些人只想反對兩岸交流，卻不知反對的目標，以及所需付出的代價。」

在各種國際場合，與會人士異口同聲地在提倡「自由化」、「開放性」及「包容度」時，台灣不是被冷落，就是無法在場。

執政時的國民黨，一遇到兩岸問題，就格外小心、遲疑。為什麼？關鍵因素之一是社會上總有一股強烈的四分之一的反對聲音，它完全不成比例地掩蓋了及嚇阻了其他的可能選項。這就是「民主」變成「民粹」的一個可怕後果。

如果台灣還自認是一個民主社會，那麼民主政治居然是——在國會中執政黨的多數屈服於少數，政策居然是由少數反對者的政治傾向與利益關係而決定。

台灣今天面臨的問題與歐美相似：產業結構趕不上科技、低薪、工作少、貧富差距、老齡化、少子化、社會福利要擴增、稅率不敢調升等。

台灣還有另一組根本性的經濟問題，那就是競爭力衰退、投資不振、輸出不易、人才外流、國際空間不足、簽訂自由貿易協定不易。這些影響台灣經濟長期成長的問題，發生在別的國家難以處理，幸運的是這些棘手問題，完全與兩岸關係的改善相關。只要民選出來的總統及立法委員有智慧、有勇氣來面對，這些問題是有可能化危為安。

自二〇〇七～〇八全球金融危機後，大陸居然奇蹟般地變成了全球第二大經濟體。一世紀以來，貧窮的中國怎麼可能已經是今天美國國債第一大債權人？好幾個大陸省份的一省GDP已超過台灣。

一線生機：「白吃午餐」心態稍改

二〇一五年七月，遠見民調中心在「台灣民眾幸福感大調查」中，有一個提問和重大發現：

有人說國家應該承擔更多責任來照顧每個人的生活，也有人說個人應該承擔更多責任來照顧自己，您自己比較偏向哪一種？

結果是：回答個人盡更多責任有六四．一％，接近三分之二的受訪民眾，認為個人應當要盡更多的責任照顧自己。

此一民調終於使人樂觀地相信：多數的台灣人民接受了良好的教育，要自己建立幸福的家庭，也要善盡現代公民的責任。

對幾十年來「白吃午餐」態度的轉變，是在反映當前台灣的新民意：從多倚靠「政府」，轉變成多倚靠「自己」；這就刺激公共政策必須走向「開放台灣」：政府要興利、鬆綁、效率；民間要奮鬥、冒險、投資。

「拖垮財政，有你」

值得警覺的是：當人民要減少對政府的「白吃午餐」時，政府本身卻轉向人民來「白吃午餐」。最顯著的二個例子是：公教人員薪資一向偏低，不就是在占他們的便宜嗎？引起抗爭的調降公教人員退休年金等，不是在毀（悔）改政府的承諾嗎？

概括地說，當政府首長沒有能力提供人民有效率的治理——包括經濟成長、教育品質、社會秩序、永續發展……，他們就是白占了位置、誤領了薪水、錯失了時機、浪費了公共資源的白吃午餐者。如果再犯法、貪汙、勾結利益團體、擴張自己政治勢力，債留子孫，那更是罪加一等，無法寬容。

中日抗戰中，熱血青年吶喊：「中國不亡，有我。」

當前困境中，小民告訴揮霍的、無能的高官：「拖垮財政，有你。」

跳上「大陸肩」

在二〇一三年十月的亞太經合會與東亞十國會議中，美國總統歐巴馬焦頭爛額地在處理國內政府預算不過，就要關門時，臨時取消出席，大陸領導人習近平、李克強乘機獨領風騷，鼓吹「中國不稱霸」、「中國要緊密地與東盟經濟合作」、「中國鼓勵企業參與鄰國的建設」；大陸已具「大而壯」的實力。

太平洋夠大，可以容納二強，但一強缺席時，北京出現了去「美國化」，德國傳出了中國將是明日世界「首席小提琴手」的聲音。

我們站在中華民國自身利益立場，應當自信地提出：讓大陸的「和平崛起」變成「中華興起」——結合大陸、台灣、香港、澳門。在彼此平等、相互尊重的原則下，共同構建中華民族的興起。

十九世紀的地緣政治在地中海，二十世紀在大西洋，二十一世紀移到了太平洋。台灣曾有過輝煌的經濟起飛，曾推動了華人世界第一個民主社會；但是一九九〇年代以來，跌跌撞撞，既自卑，又自負；想開放鬆綁，又膽小退縮，台灣像溫水中的青蛙已逐漸失去力道；陷入迷失與昏睡之中。

在兩岸對等、尊嚴、透明大原則下，台灣必須設法加快與大陸交流、合作、整合，讓「台灣蛙」再顯活力，跳上第二大經濟體的肩膀，登高望遠，看到各種機會；曲直向前，發展各種可能；進一步，結合「小而美」的台灣與「大而壯」的大陸。

二〇二〇年一月台灣又有總統選舉，無論誰當選，總要為二千三百萬人民「找到出路，走出活路。」

二〇一七年八月

二〇一九年十月更新

04

人的幸福來自經濟與教育進步

學與思

- 唯有教育受重視，以「人」為核心，才能發揮人性尊嚴，使社會進步。
- 經濟發展與教育進步帶來財富；比財富更重要的是幸福；幸福的前提是和平。

不能先修「飢餓」這門課

曾經讀過這樣淒涼的觀察：「要做偉大的宗教家與文學家，必先修一門飢餓的課」。不，不能這樣殘酷地要求；我們讀經濟的要說：消滅飢餓、消滅貧窮、消滅落後、消滅文盲，是人類走向進步必須跨越的第一道門檻。

五十四年前大學畢業，幸運地到美國大學去研讀一門新的學科——「經濟發展」。

當時台灣的每人所得不到一百美元，大學畢業生的月薪是台幣八百元（二十美元），美國大學每個月的獎學金是台灣工作月薪的十倍。這就是當時台灣的落後。

「經濟」的關鍵角色

半世紀後的今天，在美國度過了四十年的教學生涯，又再回到台灣近二十年。總結這一生的體認，要各以八點分別指出經濟與教育的關鍵角色：

(1)一個社會經濟落後，生活不可能富裕。

(2)一個社會經濟成果屬於少數人，社會不可能安定。

(3)一個社會只注重經濟成長，人民不可能快樂。

(4)一個社會經濟活動受政府多方面多層次控制，競爭力不可能高。

更進一步說：

(5)一個和諧社會是貧富不懸殊的、多元的、公義的。

(6)一個進步社會的媒體是公正的、政府與國會是有效率的、人民是肯付稅的。

(7)一個快樂社會是人民生活、社會福利、文化水平、永續發展是齊頭並進的。

(8)大陸和台灣的歷史教訓是：沒有「戰亂」是人民追求幸福的根本。

「教育」的關鍵角色

(1)世界上沒有一個國家，因為教育落後，而社會進步的。

(2)世界上沒有一個國家，因為教育支出過多，而財政破產的。

(3)世界上沒有一個國家，因為教育屬於少數人，而社會安定的。

(4)世界上沒有一個社會，因為教育制度受到政府嚴格管制，而能有創造力的。

(5)世界上沒有一個社會，個人如果不受教育，能活得幸福的。

(6)世界上小康的社會，必須克服「窮教育」、「苦孩子」、「缺工作」的現象。

(7)世界上沒有一項支出，比投資教育更迫切；世界上沒有一項工作，比從事教育更神聖。

(8)社會上孩子的微笑，是天使的微笑；社會上孩子的傷痛，是你我的傷痛。

一旦教育受到重視，就容易產生「以人為本」的信念。當以「人」為核心時，就能發揮人性尊嚴，共同追求這些基本信念，如：公平與法治；教育機會的普及；財富的合理分配；文史哲、藝術、音樂、外語等的提倡。因此年輕一代，容易擁有人文素養；這就和薩伊德教授（Edward W. Said）所提倡的「寬廣的人道關懷」相近。美國教育家自責地說：「我們的科技可以登陸月球，但還沒有找到有效的方法，教好下一代。」

追求幸福

做為一個知識工作者，現實面的追求是：⑴人人受教育，就有生存的本領。⑵人人有工作，就有活的尊嚴。⑶人人有付稅的能力，就會產生文明。⑷人人盡公民的責任，就會永續發展。

「文明社會」是指構建高度文化水準及科技發展，同時擁有多元創新的機制，相互包容尊重的生活方式，共同致力於永續發展。

經濟發展與教育進步帶來財富；比財富更重要的是幸福；幸福的前提是和平。因此我要大聲疾呼：

沒有戰爭的恐懼，是幸福。

把軍備費用改做和平用途，是幸福。

把第一流的腦袋不造武器，推展文明，是幸福。

一心一意構建和平與文明的社會，是幸福。

二〇一七年九月

05

台灣要隨大陸經濟水漲船高

學與思

- 中國大陸已是世界上二大經濟體之一，台灣應設法與身邊這個龐大的經濟體，發展良好的互動關係。
- 大陸的經濟實力有如四八方湧來的「水」，台灣是一葉扁舟，要靠內部共識的智慧，設法隨水漲船高；不能自暴自棄地被大水淹沒。

嚮往和平，反對戰爭

十五年以來，我們分別在上海與台北舉辦了十五屆華人企業領袖遠見高峰會。在這一期間，世界情勢、兩岸關係，以及東南亞華人社會，共同經歷了全球化的衝擊，但是產生了不同的影響。一個總體觀察是：中國大陸已是世界上二大經濟體之一，正以大國的雄心與壯志，融入世界；不論上週川普訪華或越南APEC大會中，美國的領導地位已日益衰退，正由北京領導人逐漸替代中。可惜的是台灣未能及時利用同文同種的兩岸交流，擴大雙贏的機會。被譽為當前中國的「新四大發明」：高鐵、移動支付、網購和共享單車（經濟），更使全世界驚訝！台灣也被拋落在後。二年前兩岸領導人在新加坡的馬習會，是一頁重要的機遇，可惜所產生的善意與交流，未能進一步開花結果。

過去百年我們中國的歷史，徘徊在絕望與希望之中；中國的命運，徘徊在戰爭與復興之中。從五十八年前（一九五九）秋天到達美國讀書那一刻起，自己才真正脫離了戰爭的陰影，也才第一次真實地看到了安定、自由、富裕的現代社會。以後四十年的歲月，在校園讀書、教書；在大學城成家、立業；在美國社會學習、成長。

隨大陸經濟水漲船高

近十餘年來受《遠見》雜誌邀請來台訪問過的諾貝爾獎經濟得主及美國著名學者，論及兩岸關係時——特別是經貿投資這一領域——看法都是一致的：「台灣要設法與身邊這個龐大的經濟體，發展良好的互動關係。」這些人物包括了大家熟悉的五位哈佛大學教授：波特（Michael E. Porter）、桑默斯（Lawrence H. Summers）、傅高義（Ezra Feivel Vogel）、奈伊（Joseph S. Nye）、歷史學者柯偉林（William Kirby），以及《紐約時報》專欄作家佛里曼（Thomas L. Friedman）等。

就台灣的經濟發展與人民福祉而言，大陸市場是不可或缺的。我們不能忽視它，不可放棄它，並且要清楚地知道它是不易被取代的。我們要把大陸市場看成是台灣的廣闊腹地，是內需市場的延伸，是走向世界的墊腳石，是當前迷惘中的青蛙跳出溫水的大舞台。

以全球GDP資料估計，近年大陸省份如廣東、江蘇、山東等地的GDP，早已超過台灣。大上海人口近三千萬，GDP居然高過泰國、馬來西亞、菲律賓，也日漸追上台灣。大陸「雙十一」購物節阿里巴巴的天貓又創新高，一天成交達七千八百億台幣，估計約為全台百貨公司二十餘年週年慶的銷售總和。

「英雄」所見略同

讓我引用二個最近「英雄所見略同」的例子，調侃一下自己的遠見。

例一：四十年前我提出「天下沒有白吃的午餐」；今年一月十七日大陸領導人習近平在瑞士達沃斯的世界經濟論壇中指出：「中國人民深知，世界上沒有免費的午餐……想發展就要靠自己苦幹實幹，……。」

例二：二年前我寫了一本書，書名是《開放台灣》，大陸央視在今年中共十九大召開前推出「輝煌中國」六集影視，第六集的片名是「開放中國」。

我們一起想想，當不再白吃午餐的大陸人民與台灣人民交往，當開放台灣與開放大陸交流，擦出的火花不就是柯P常說的：「兩岸一家親」、「命運共同體」嗎？事實上，在中華文化孕育下，兩岸是很容易找到人同此心、心同此理的共鳴。

大陸的經濟實力是四面八方湧來的「水」，台灣是一葉扁舟；水能載舟，也能覆舟。台灣要靠內部共識的智慧，設法隨水漲船高；不能自暴自棄地被大水淹沒。

二〇一七年十一月

06

二〇二〇總統候選人的考題
——對抗走向戰爭，協商帶來和平

學與思

- 中華民國生存與發展、戰爭與和平的大戰略上，領導團隊必須盡一切力量與對手交流、合作，達成和平的使命，而不是對抗、選邊，進入備戰。
- 美國前國防部長培里說：「美、中、台全都具有和平關係，也全都因為共同的經濟活動而繁榮。台灣與中華人民共和國有許多合資活動，兩岸經濟往來頻密，家人親屬互訪走動融洽……，一般相信，長此以往，兩岸將會發展出某種政治統合。與此同時，各方面目前皆因和平交往而受惠良多。」

不可信靠川普

自從川普二〇一七年進入白宮，兩年多以來，時時語出驚人，事事前後矛盾，世界就無寧日。

美中之間的貿易戰、科技禁令、軍演擴大、南海領域、多邊合作取消，以及最近香港反送中等等的爭議，果然再大的太平洋，也容納不下兩強的相爭。

看到了美艦穿越台灣海峽，快速出售武器，雙方較高層次的接觸等，夾在中間的台灣，自認為可以漁翁得利，事實上應步步為營，不能陷入了以小搏大與左右逢源的幻想中。

中華民國生存與發展、戰爭與和平的大戰略上，領導團隊必須盡一切力量與對手交流、合作，達成和平的使命，而不是對抗、選邊，進入備戰。否則，面對選舉，選民就必須做出理性的選擇才行了。

佛里曼的觀察

三次獲得普立茲獎的《紐約時報》專欄作家佛里曼近月來又寫下了不少對中

美關係十分犀利的評論，引述簡化幾則：

- 美國選民對川普的謊言，種族主義色彩的民族主義，和國家分裂感到震驚，使民主黨期中選舉中奪回了眾院多數。
- 如果中美對抗僅限於貿易，我們就該感激：中國不再只是「接近」美國了，中國已與美國「平起平坐」。
- 中國使用互聯網經濟總價值已超越美國，向乞丐施捨也不用現金。五年前全球最大的科技公司，美國九家，中國二家，如今二十名之內，美國十一家，中國九家，它們包括阿里巴巴、騰訊、螞蟻金服、百度、小米、滴滴、京東、美團、和今日頭條。
- 如果數據是新的石油，《人工智慧》的作者李開復說：「那麼中國就是新的沙烏地阿拉伯」。
- 全球排名第一和第三的無人機製造大疆和小米都是中國企業，法國的鸚鵡第二。中國培養的工程師數量遠遠超過美國，質量也穩定上升。
- 我們還好擁有三個巨大價值的東西中國沒有，也很難立刻趕上：優秀的移民（印度、以色列、法國、巴西、阿拉伯……）、長期的盟友及文明社會的價值觀。

- 美國贏得了冷戰，靠的是比克里姆林宮在國防上花更多的支出，讓蘇聯破產的政策。要「贏得」中國的對峙，不能只有蠻勁，以及遏制中國龐大的經濟。

美國前國防部長培里的提醒

兩年前（二〇一七年九月），天下文化出版了一本重要著作《核爆邊緣》（*My Journey at the Nuclear Brink*），是由美國前國防部長培里（William J. Perry）所寫的。他是一位在美國社會被公認聰敏、正直、才智極高、成就非凡、充滿感召力、能喚起他人熱情的劃時代人物。

他為中文版寫了三頁長序，結論中說：

今天，美、中、台全都具有和平關係，也全都因為共同的經濟活動而繁榮。台灣與中華人民共和國有許多合資活動，兩岸經濟往來頻密，家人親屬互訪走動融洽，大陸觀光客亦樂於到台灣旅遊。一般相信，長此以往，兩岸將會發展出某種政治統合。與此同時，各方面目前皆因和平交往而受惠良多。我在本書中提到許多嚴正的安全危險，但是我很高興兩岸戰爭不在其中。（二〇一七年六月）

培里的看法一直是：美國不能忍受大陸片面動武，也不會無條件地保衛台灣。

兩岸急凍，誰之過？

季辛吉說得赤裸裸的深刻：權力是政治人物的春藥；因此「選票」就變成了進入權力藥店的「門票」。為了這張門票，政治人物就不顧一切地向「三不」衝：不計誠信、不計成本、不計後果。這使得「民主」變質成「民粹」，選民們看得心驚膽顫。

遺憾的是，民進黨執政三年以來，兩岸關係從「冷處理」到近月來的急凍、大陸飛機及軍艦頻頻出現在台海中線，以及蔡政府花三千多億購買軍火備戰，是否讓培里感到意外？

二十年前李登輝的「戒急用忍」，把台灣帶進了一條岔路，此刻必須另找正路。這條正路必先要剷除對抗中國大陸的路障；花幾千億去購買軍火，是一條岔路。與中共以對等、透明的方式，綜合內部黨派的意見，和平協商、營造善意、追求雙贏，那才是台灣的正路。

明年一月，台灣人民將面臨一個最清楚的選擇：台灣愈來愈可能在國際社會變成一個民主政治的負面教材。民粹籠罩下，台灣人民得到的是：經濟衰退、收入停滯、社會焦慮、兩岸鎖國。能不慎乎。

二〇一九年九月

07

走不到盡頭的旅程
——沒有和平，五大皆空

學與思

- 一個自由、進步、幸福的社會應該具備哪五大元素？
- 經濟學家嚮往的理想世界是：成長率高，競爭力強，創新多，失業人口少，通貨膨脹低，貧窮差距小，節能減碳普遍……為了趨近理想，經濟問題的研究不能少。

經濟觀念

去美國讀書，最大的驚喜來自「新觀念」的衝擊，這對一個來自落後年代的台灣學生，是多麼地新奇。我興奮地在美國教室中發現：

(1)愛用國貨不一定愛國。
(2)關稅保護看來必要，但常常兩敗俱傷。
(3)效廉比公平更能改善現狀。
(4)「市場」居然會比「政府」聰明。
(5)追求「私利」的企業可能比「利他」的政府更「利他」。
(6)幫助窮人不能靠救濟，要靠教育。
(7)基本工資的好意，反而可能增加失業。
(8)管制價格、電費、水費等的照顧，常造成資源的扭曲及可怕的浪費。

如果那個年代在歐美有不少年輕人被馬克思思想吸引住，那麼我更著迷於資本主義市場經濟下的運作及那隻看不見的手。自此，我決心要做一位提倡進步觀念的「自由人」。

什麼是觀念？觀念就是一種看法、一種推理、一種思想；它同時也反射了一種意願、一種嘗試、一種嚮往。它表達了一個人的價值標準、專業知識，以及道德勇氣。

什麼是「進步的」觀念？「進步的」觀念是在法治與民主的天秤之下，這些看法與論點能夠促進經濟效率、社會公平、文化進步與生活品質。它向特權、壟斷、保護、惰性等等現象挑戰。「進步觀念」之難以普及，不論是由於迷信、私心、無知、價值觀，都影響了國家現代化的方向與速度。

經濟政策

在西方世界，隨著政府運用政策工具的不同（如財政或貨幣政策），及政府參與範圍、程度與使用的力道，出現了所謂「自由派」（贊成政府多參與），或保守派（贊成多借用市場機制）的爭辯。這個爭辯又常簡化為「政府對市場」（Government vs. Market）的平衡與制衡。近年又常出現單一議題（single issue）的團體，反核能，反「工作外包」（outsourcing），反增稅、反基本工資、反外勞、反退休年齡的提升或下降等等。

經濟學家面對公共政策的爭議，就會出現二種狀況：一是經濟學家以其專業信其所言，言其所信；另一則像辯護律師，分述正反二面的利弊。以基本工資為例：一方面（on one hand）列舉贊成理由，另一面（on the other hand），列舉反對理由。因此二位美國總統都說過氣話。杜魯門說：「給我只有一個手的經濟學家（one-hand economist）；雷根說：「我美好的生活，當我認識了經濟學家，就很快結束。」

大體來說，民主、開放、多元社會的經濟政策都在追求這些相似的目標：

(1) 健康的經濟成長。

(2) 充分就業（失業率最好在四％以下）。

(3) 物價穩定（上升最好不要超過三％，但物價長期不變，也要溫和刺激）。

(4) 所得分配不能太懸殊。

(5) 永續發展會愈來愈重要（對抗氣候變遷、能源危機、人口老化……）。

要對這些目標取得共識已經不易，要用什麼方法及政策工具，「如何」來達成這個目標更是爭議不斷。

旅程中不能沒有「中國大陸」這一站

我二十多年來的觀察，大陸經濟的運作有幾項特色：

權力分享可以等，開放改革不能等。

民主可以等，穩定不能等。

法治可以等，親民不能等。

清廉可以等，效率不能等。

公平可以等，改善不能等。

「人民最大」可以等，「領導最大」不能等。

西方發展中認為「先決條件」的民主、法治、清廉、公平，在中國大陸的政治運作中是次要的。在西方人眼中的普世價值，在大陸是以另一種價值來「彌補」：如以穩定來補民主、效率補清廉、改善補公平；以另一種「政績」來領先推動，如高速的經濟成長、各地完成的基本建設、農村貧窮的大量減少。對大陸而言，世界是「平」的（「平」一語雙關，指鄧小「平」的改革開放及習近「平」的強勢主導）。

台灣調整後每人ＧＤＰ超越德、日等國

一九八〇年代台灣曾經有過「經濟奇蹟」的紀錄。很可惜九〇年代以後，意識型態超越了專業治國，幾乎「一步差，全盤輸」。遠在二〇〇〇年底蕭萬長先生就率先提出「兩岸共同市場」的主張。後在二〇〇五年秋天出版了《１＋１大於２：邁向兩岸共同市場之路》。馬總統執政三年以來，兩岸關係已漸穩定，並且簽訂了ＥＣＦＡ。台灣經濟已逐漸回溫，因此開創了台灣在世界舞台上可以占一席之地的機會。

二〇一〇年十二月英國《經濟學人》出版的〈The World in 2011〉專刊中，正提供了台灣這樣的數據。在預估二〇一一年各國的ＧＤＰ中（見下表），台灣的每人「名目」ＧＤＰ剛好跨越二萬美元，但經過「購買力」折算後的ＧＤＰ，則高達四萬二百九十美元。這個調整後的「實質每人所得」居然超越了丹麥、瑞典、加拿大、日、法、德、英等國。因此台灣人民的實際購買力已可與這些最先進的國家相提並論。這似乎難以置信但又令人興奮的西方人的估算，當然也說明為什麼今天我們去歐洲旅行可以免簽證！

民主的困境

提倡民主政治的人要勇敢地承認：放眼當前歐美各國，多元的民主帶來的民粹對立，都使政府及國會陷入難以治理的癱瘓狀態：

(1) 從政者缺少那股決策力與說服力；

(2) 國會永遠把政黨利益放在第一；

(3) 利益團體不肯放棄他們的利益；

(4) 老百姓習慣於白吃午餐；

(5) 輿論從不放棄批判及火上加油的機會。

2011年台灣購買力調整後每人GDP超越日、法、德等國（單位：美元）

國家排名	購買力折算後之GDP（括弧內為各國名目GDP）
①中華民國	4萬0290（2萬40）
②加拿大	4萬0110（4萬7070）
③瑞典	3萬7860（4萬7300）
④丹麥	3萬7470（5萬2320）
⑤德國	3萬6020（3萬7680）
⑥英國	3萬5440（3萬8360）
⑦法國	3萬4620（3萬9370）
⑧日本	3萬4850（4萬4440）

資料來源：英國《經濟學人》專刊：〈The World in 2011〉，頁111～119。

註：GDP有二種方法表示：一為根據當年幣值美元匯率折算，即通常所使用之「名目GDP」；另一則根據美國物價為基準調整（即泛稱之「購買力評價」折算Purchasing Power Parity。）因富裕國家物價高，經折算後，大量下降；台灣則因物價相對便宜，2011年名目GDP的2萬40美元調升至購買力折算後的4萬290美元，超過不少富裕國家。

經濟學家嚮往的理想世界：成長率高，競爭力強，創新多，失業人口少，通貨膨脹低，貧窮差距小，節能減碳普遍……終是遙不可及。這是一條走不到盡頭的旅程；面對經濟難題，我們仍相信：經濟問題的研究不能少，經濟學家的書還是要寫。

出版《經濟學的世界》

一九八五年所寫的《經濟學的世界》是在那個背景下出版的。它立刻擁有了很多讀者，並且得到了金鼎獎的優良圖書獎。幾乎每隔三年就做一次增訂，一九九〇年把原書分成上下二冊。上冊以經濟觀念與經濟問題為核心；下冊介紹個體與總體的基本理論。大陸簡體字版與香港版權也陸續授權出版。去年四月在北京第一次遇到「羅輯思維」創辦人羅振宇，他說：「大學時代就讀過老師寫的經濟學。」

一九九七年再增訂為上中下三冊。這次邀請政大林祖嘉教授參與合寫。林教授擔任過國立政大經濟所所長，近年也出任過陸委會副主委及國發會主委。理論與實務兼顧，為不可多得的經濟學者與經濟決策者。前年卸任公職後，又抽出時間做了一次修訂，即是當前《經濟學的世界》的上下冊。

經濟世界可以變成繁榮與進步，也可以是蕭條與停滯，一個決定性因素，就是看這個社會能否同時擁有眾多的經濟人、社會人、文化人。

綜合自己一生的體認，一個自由、進步、幸福的社會要同時擁有五大元素：

- 開放：沒有開放的政策，一切空轉。
- 經濟：沒有經濟的成長，一切空談。
- 教育：沒有教育的普及，一切空白。
- 文明：沒有文明的擴散，一切空洞。
- 和平：沒有和平的持久，一切落空。

二〇一八年七月

二〇一九年九月更新

08

台灣要變成「被利用」的地方

——新加坡前總理吳作棟的提醒

學與思

- 當新加坡不斷出現重大與驚豔的建設時，台灣在經濟有氣無力之餘，政府還準備花費大筆公帑，急著去買軍火，實在讓人著急。
- 看到新加坡的進步，我們是否有那些反省？人除了要做對事情，也必須有開放心態，才能被重用。若城市做好，又有開放政策，世界各地人民自然就會湧來。

新加坡競爭力全球第一

六月初去新加坡，參加了三本重要著作的發表會：馬英九前總統的《八年執政回憶錄》、吳作棟前總理的《高難任務》，以及星雲大師的《我不是「呷教」的和尚》。馬前總統的新書會擠滿了熱情的新加坡讀者，原定五十分鐘的簽名延長到二小時，簽名超過了五百冊，當他們近距離看到了馬總統，多位要求合照。

吳作棟是繼李光耀之後做了十四年的總理，他的書充滿了故事性及啟發性。在書介中，我寫著：「近半世紀的新加坡政治與經濟發展模式，堪為全世界發展中國家的典範。讀李光耀親撰的《李光耀觀天下》，讓我們見識到新加坡的卓越領導。」

吳作棟這本《高難任務》（天下文化即將出版），增補了這個城市國家對人才的栽培與磨練機制。尤其難能可貴的，作者暢談與李光耀在政治上師徒關係的信任，共同創造新加坡在八〇年代後的獨特性與發展性。

在我們聚談中，吳前總理對新加坡經常在全球競爭力排名中名列前茅的解釋，我覺得十分深刻，值得國人認真思考。他說：「我們新加坡時時刻刻都在想：我們能為世界做什麼？為什麼他們要來新加坡？來這裡有什麼好處？有什麼可以吸引他們？」

接著他舉出一連串輝煌的實例，證明了新加坡政府的決心及成就：「新加坡有完善的金融中心、現代化的四座機場、轉運樞紐及商港與軍港、一流的大商場與大娛樂場（包括博奕）、國際水準的大學、醫院及相關設施……再加上英語及綠化生活環境，因此它常被稱為東方社會中最西方化的大都市。」

台灣建設落後，但買武器不手軟

當新加坡不斷出現這些重大與驚豔的建設時，無一不使我們生活在台灣的人感到慚愧。看看我們落伍的機場，殘缺的巨蛋，陳舊的社區，多數大學及中小學貧乏的硬體，去花東不便的交通。台灣在世界經濟舞台上已經有氣無力二十多年了。

當政府財政拮据時，還是要花四千多億買飛機、買戰車、自造潛艇。如果兩岸關係穩定，哪需要花天文數字的公帑，急著去買這些軍火？把這些幾千億投入基本建設、教育、退休等，才是當務之急。領導者尋求和平，遠比購買武器迫切。

我們要嚴肅地指出：政府千萬不能上美國軍火商以及穿梭兩岸政治掮客的當，包括那些鷹派的甜言蜜語或恐嚇。現任的官員要知道，只要涉及貪污，再聰明巧妙的手法，只要司法公正，真相遲早會出現。那時，就要鋃鐺入獄。

大師提倡：人要「被利用」

不僅好地方如新加坡要爭取「被利用」，個人也要有這個想法。多年前第一次從星雲大師聽到「做人要多被利用」時，有些驚訝。再仔細想想，它有深層的意涵。如果一個人有本領，負責任，能做事，大家就會想到：「你做事我放心」、「能者多勞」，這個人就會不斷地被利用，被重用，被借用，被共用。這才是有意義、有貢獻的人生。

大師病後出版首部著作：《我不是「呷教」的和尚》，正是在提倡這個積極的人生觀。在星馬店書店展出這本新著時，立刻受到肯定。

大師說：「我不要靠佛教，不要利用佛教；我要佛教靠我，佛教利用我。」

人做對，又有開放心態，人就會被重用；城市做好，又有開放政策，世界各地人民就會多來這個城市。

二〇一九年六月

09

「中華民國」老招牌比新武器有用

——兼談五任總統的經濟表現

學與思

- 大家應該明智的思考：當本該投資於教育、環保、社福和基本建設的幾千億，卻移去購買軍火，政府的決策是否出了問題？
- 用經濟學上機會成本的觀念來看，「戰爭」是最可怕的支出，最大的浪費。
- 人民要的是民生，不是民粹；是超越對立，不是對抗。

兩岸現狀惡化中

蔡政府就職三年，兩岸的「維持現狀」不幸一直在持續惡化中。邦交國少了五個，中共的軍機軍艦不斷地在台海出現，國際空間更為緊縮，兩岸交流不斷限制。單就兩岸教育與文化交流來看，相關機構就增添了不少有形與無形的門檻。按理這些政治上最不應當干預的領域，此刻也充滿了愈來愈緊縮的不確定感。連馬吳二位卸任總統、副總統出境管制再增延三年，公認為既不厚道，又涉濫權。

使人想起當川普接任總統要以限制移民入境，來減少國內部分民怨時，有識之士諷刺那是追求「美國偉大」的最具傷害性政策。遭到川普以各種手段打壓的大陸華為負責人回應：「愈遭受打壓，我們愈會更快地壯大。」

台灣明年一月的總統大選，如果當選的總統所提倡的是和平、繁榮、交流、雙贏，那麼兩岸就有可能從柯P的「一家親」、走向「一家情」、走向「一家心」，最後走向兩岸「一家」。

歷史的長河中，千萬不能發生的是兩岸烽火。領導人腦袋中要盡一切智慧「避戰」，不是巧妙地找各種藉口買武器，肥了軍火商、國際掮客及內部的官商勾結。因此最不應當發生的是：政府支出的惡性排擠，本該投資於教育、環保、社會福利、基本建設的幾千億，在不穩定的兩岸情勢下，移作軍火的購買。中共要攻打台灣最大的藉口是「台灣獨立建國」，當蔡政府從不認為有這種可能時，就不需要花幾千億買武器。「中華民國」的老招牌比新武器還有用。

沒有和平，台灣就一無所有。

蔡總統在過去三年中，似乎有二個地方她最歡喜參訪：軍事單位與廟宇。不知道她參觀過幾所大學、中學、小學、孤兒院、老人院、榮民之家、原住民村落？

馬英九的八年總統，輸掉了國內政治鬥爭的戰場；但在他總統卸任前，出現了新加坡的「馬習會」。那一時刻——二〇一五年十一月——馬習兩位國家領導人共同奠定了走向兩岸和平的歷史地位。

五任總統的經濟表現

自去年十一月九合一選舉後，二個大黨都應當得到一個教訓：台灣人民要的是民生，不是民粹；是超越對立，過好日子。

一生奉獻於研究台灣經濟成長的葉萬安先生，最近剛完成一篇「近七十年來歷任總統經濟施政成果比較」論文，極具總統大選前的參考價值。

葉先生曾任職經合會副主任委員，被譽為「台灣經濟分析權威」，他曾寫過一千九百餘篇的論文及社論，二〇一一年「天下文化」曾出版他的著作《從管制到開放——台灣經濟自由化的艱辛歷程》。

現在引述這篇新論文中的資料，來呈顯五任總統主政時期施政成果排名。如比較馬英九八年、蔡英文三年的經濟成績，六項指標中，蔡比馬較好的三項是「失業率」、「高低所得分配」、「實質總薪資成長率」，其餘三項如「經濟成長率」、「出口在世界排名」、「台灣經濟成長率與全球比較」，低於馬主政時期。因此蔡政府歡喜強調「現在是台灣經濟二十年來最好的狀態」，是誇大的說法。

「和平」是唯一的選擇

今年二〇一九年是中華民國政府自大陸撤退來台的七十年。那一年（一九四九）的三月，隨家人遷入南港眷村。十年後（一九五九）大學畢業，幸運地去美國讀書。秋天到達美國那一刻起，眼前第一次看到了真正安定、自由、奮鬥、創造富裕的現代社會。上天太寬待了這個東方年輕人，那天堂般的歲月中，在校園中讀書、教書；在大學城成家、立業。

從此，我最大的嚮往就是「和平」，最強烈的反對就是「戰爭」。午夜夢迴想到的是：哪一天我的家鄉大陸與台灣能像美國社會一樣？

在英文字彙中，最使我著迷的是：

- Peace-maker　和平使者
- Peace treaty　和平條約
- Peace dividend　和平紅利

百年前設立的諾貝爾獎真有遠見，只有「和平獎」，沒有「勝利獎」。

根據《中國時報》五月二十一日公布的民調，對下列七位總統候選人「誰當選

歷任總統主政時期經濟施政成果排名

	蔣經國 主政時期 1968-87	李登輝 主政時期 1988-99	陳水扁 主政時期 2000-07	馬英九 主政時期 2008-15	蔡英文 主政時期 2016-19
經濟成長率	1 （9.8%）	2 （6.9%）	3 （4.9%）	4 （2.8%）	5 （2.4%）
失業率	1	2	5	4	3
實質總薪資成長率	1	2	5	4	3
高低所得分配差距	1	2	3	5	4
出口在世界排名	1	2	3	4	5
台灣經濟成長率與全球比較	1	2	3	4	5

資料來源：葉萬安論文「近70年來歷任總統經濟施政成果比較」（2019年4月30日）

最能改善兩岸關係」顯示：韓國瑜二六．二％，郭台銘一七．七％，柯文哲一一．二％，蔡英文九．七％，賴清德七．二％，朱立倫五．二％，王金平二．二％。

「和平」在我思維中生根，變成了我最要推動的進步觀念。用經濟學上機會成本的觀念，「戰爭」更是最可怕的支出，最大的浪費。

二〇二〇年台灣選出的總統，一定要是位能構建兩岸和平的政治領袖。

二〇一九年六月

10

移民如同氧氣
——麻省理工學院校長致信全校

學與思

- 麻省理工學院之所以受敬重，就是因為它吸引了全球最優秀的人才一起做研究，美國學術界這種重視博愛平等、友善慷慨的行為，這種開放、合作的精神值得我們學習。
- 建築師貝聿銘在上海和香港長大，十七歲去美國求學，一生留下的指標性建築從波士頓、巴黎、中國到華盛頓特區到處都有，成為「他那一代最傑出的美國建築師」，印證唯有開放的心胸才能造就偉大。

美國MIT校長萊夫（L.Rafael Reif）於上週發表了一封公開信，在川普政府對中國大陸及華裔學者一些不友善的氣氛下，他闡述移民吸引了世界最優秀的人才，相互激勵與共創未來的堅定信念。這種博愛平等、友善慷慨的行為，正是我所看到的美國學術界。我曾經以「天堂般的歲月」形容四十餘年在美國中西部讀書、教書與家庭的生活體驗；絕不是三年來川普政府推動「單邊主義」及「美國第一」所呈顯的傲慢。文中引證MIT貝聿銘校友為例，十七歲從中國來美求學，變成了「他那一代最傑出的美國建築師」。

七月一日《遠見》最佳大學排行榜贈獎典禮時，我特別印贈MIT校長的信給二十二位得獎的大學校長及代表，呼應自己一直所提倡的「開放」。今天台灣社會最需要推動的就是多開放，少鎖國。此刻與讀者分享全球著名大學校長所展現的風範（原文稍長略有刪節），並謝謝潘欣的中譯。

麻省理工學院之所以能像美國一樣蓬勃地發展，是因為它吸引了世界上最優秀的人才。今天，我為麻省理工學院的華裔所遭受的痛苦境況而感到沮喪。由於美中兩國之間的關係愈發緊張，美國政府對中國藉由收購高科技智慧財產權進行系統性的學術間諜事件，表示嚴重關切。

身為包括麻省理工學院林肯實驗室在內的研究所的所長，我向來最重視國家安全。我很清楚學術間諜活動的風險，而麻省理工學院也制定了謹慎的政策來防範此類違規行為。

但在管理這些風險時，我們必須非常小心，不要製造一種毫無根據的懷疑和恐懼的氛圍。從全國各地的案例來看，儘管少數具有中國背景的研究人員可能確實不懷好意，但他們是例外。然而，教師，研究人員和學生卻告訴我，在他們與政府機構打交道時，他們感受到不公正的審查、恥辱和不舒服——僅僅只是因為他們是中國人。

沒有比這個更加偏離我們向來重視合作的力量和開放的精神了。華人和華裔同事的這些報導令人心碎。做為學者、教師、顧問、發明家和企業家，他們不僅是我們社區的模範成員，也是美國社會的傑出貢獻者。我深感困擾的是：他們覺得自己得到的回報卻是普遍的不信任和不尊重。

對於我們這些了解麻省理工學院做為全球社區以及科學思想自由流動巨大價值的人來說，了解這些同事的痛苦是非常重要的，這是美國向世界傳達愈來愈響亮的信號。

這些行為包括長期簽證延誤的不當，以及由於宗教、種族、民族或血統而對大多數移民和其他群體的嚴厲言論。總而言之，這些行動和政策已經把美國要關閉大門的聲音調到了最高。

今年五月，世界失去了一位傑出的創作巨匠——麻省理工學院一九四〇年畢業生建築師貝聿銘。他在上海和香港長大，十七歲時來到美國求學。他留下的指標性建築遺產分布在波士頓到巴黎、中國到華盛頓特區的各個地方，以及我們自己的校園。當他在一百零二歲去世時，波士頓環球報將他形容為「他那一代最傑出的美國建築師。」

在像我們這樣的國家，移民如同氧氣，而每次吸入新鮮氧氣都會使整個身體重新獲得能量。作為一個社會，每當我們提供移民機會，我們都會得到未來生活至關重要的動力。我相信這種智慧將永遠在麻省理工學院的生活和工作中引導我們。我也希望它能夠繼續帶領我們的國家。

二〇一九年七月

11

兩岸領導人共創新機運

——從黃年倡議「大屋頂中國」啟動

學與思

- 兩岸領導人在處理兩岸僵局時，或許可以參考美國總統甘迺迪所說過的二句話：「讓我們永遠不要因恐懼而談判，但是也永遠不要對談判感到恐懼。」
- 黃年多年來倡議的「大屋頂中國」，主張在此一理論下，中華民國是民主中國，中華人民共和國是社會主義中國。這個提議有其說服力與彈性，兩岸應多探求雙方有哪些問題能可使我們結合在一起，而不要在那些使我們分裂的問題上去費心思。

連戰與習近平二位於二〇一三年二月二十五日北京會晤後表示：希望兩岸能「建立一種平衡、對等、有效的政治架構」，又強調「民間先行，智庫為先」，就「較困難議題」加以探討。

就在這一時刻，黃年的新著《大屋頂下的中國》（天下文化出版）正可視為討論此政治架構的藍圖。

國共兩黨領導人連戰和胡錦濤二〇〇五年在北京歷史性的會晤，啟動了兩岸冰山的溶解，二〇〇八年五月馬英九接任總統，立即抓對時機，展開直航，縮短了半世紀以來兩岸空間、時間及人心的阻隔，其良性影響，不可低估。三位領導人，在兩岸關係的歷史方向盤上，八年來留下了他們的航線圖。

如果新領導人習近平，在接任之初，就向全球及華人示範：沿著連胡馬的航線，做出與時俱進的修正，那麼黃年倡議的「大屋頂中國」，正可視為一個新機運。如果習、馬二位領導人在三年內合寫兩岸和平新頁，這會是二十一世紀中國歷史上不可磨滅的一頁。

二十年來，除了經貿往來，兩岸其他領域進展緩慢。台灣這邊當然出現過不少企求「突破」僵局的建議，從沈君山的「一國兩治」、陳長文的「一國良治」、蕭萬長的「共同市場」、黃年與曹興誠的「統一公投」、張亞中的「一中三憲」、謝長廷的「憲法一中」，再到另一極端的「兩國論」及「一邊一國」。對這些想法，對岸基本上是不做積極回應，對台獨傾向則嚴厲譴責。

黃年的此一架構，在時機上恰好回應了中共領導人。引用黃年的解釋：

在大屋頂中國下，
中華民國是民主中國，
中華人民共和國是社會主義中國，
二者皆是一部分的中國，
同屬「一個（大屋頂）中國」，
亦即「兩岸主權相互含蘊並共同合成的一個中國」。

黃年歸納出「大屋頂中國說帖二十條」，逐條辨析及解讀各種可能產生的利弊。譬如：

(1) 有了「大屋頂中國」，就避免了「我吃掉你，你吃掉我」的疑慮。
(2) 對台灣，減少台獨的內耗；對大陸既減輕「防獨」的承當，又減輕「促統」的負荷，更免於「承諾的陷阱」。

要北京接受「大屋頂」架構這一過程不容易，但不是沒有機會，因為我認為這個說帖有說服力，有邏輯性；這個架構，有彈性，有包容性，也就有可行性；這個理論，前後呼應，兩岸共利。

如果把「大屋頂中國」勉強譯成英文：China Under one Roof Expanded，以便縮寫成CURE，它就變成了破解兩岸停滯不前的「藥方」。

或許有人建議把原先的「大屋頂中國下」頭三行字改成：

在「大中國」屋頂下，

中華民國是「島嶼中國」（Island China），

中華人民共和國是「大陸中國」（Mainland China）

如果這樣的對等稱呼更中性，更有機會被接受，相信大家樂見其成。

兩岸領導人在處理兩岸僵局時，應當記住五十二年前，美國歷史上最年輕的總統甘迺迪（四十三歲）所說過的話：

讓我們永遠不要因恐懼而談判，

但是也永遠不要對談判感到恐懼。

讓雙方探求哪些問題能使我們結合在一起，而不要在那些使我們分裂的問題上去費心思。

二〇一三年三月

12

以色列紀行
——沙漠仙人掌的生存奇蹟

學與思

- 以色列在中東是一個孤立的國家，在生死存亡邊緣堅強求生，有其悲壯的歷史做引導，他們多次創造生存奇蹟絕非偶然。
- 為了國家生存，勇敢地冒險，成功地執行——這就是不靠別人，一切靠自己的「以色列精神」，值得台灣反思。

一九八一年六月十五日傍晚六點五十分，我在雅典乘希臘航空公司三〇一班機飛以色列。二小時後飛抵台拉維夫。飛機降落時，台拉維夫全城的夜景呈現在眼前，它沒有現代大都市的一個象徵——把夜晚都披上了白晝的外衣——四處全是閃爍或柔和的燈光。使人立刻警覺到，這就是人人所談論的「平時為戰時」的國家。

來過以色列的朋友早就警告我在機場入境時的排隊、旅客等待時的不耐煩及行李的紊亂。這些警告沒有誇大。花了整整一個小時在排隊，但輪到我查驗護照時卻先後不到幾秒鐘。這位穿了黃色制服的年青以色列小姐微笑地說：「是不是第一次來台拉維夫？你一定不歡喜這裡亂糟糟的樣子！」我告訴她：「我有過很多這種經驗，這不會影響我到這邊來訪問的熱烈心情。」

從以色列我們能學到什麼？

這個以色列首都的機場稱為蓋倫機場（Ben Gurion Airport）追念以色列建國元勳——他是第一任總理並兼任過國防部長。這個機場不會比松山機場大，但六月是觀光季，當世界各地的人都來到這裡時——宗教上的追思，民族感情的認同，「以色列奇蹟」的探索……這個機場是超過了它的負荷能力。在我行李時，一位來自慕尼黑的男醫生，是來這裡參加世界「性學」會議；另一位來自波蘭的工程師是來參加「納粹餘生大會」。以色列像一塊磁石一樣，吸引住了世界各地的人。

與我同來訪問的其他十四位美國教授們要到後天才抵達，我獨自走出機場。門口人山人海的人在迎接他們的親友，這相聚的一刻對很多人來說是一生的夢想。

在排隊等候入境時，站在我前面的一位老婦人二次回過頭來告訴我：「我是一九三四年從匈牙利移民到美國的猶太人，從來沒有來過以色列。這次我下了決心，不顧自己的心臟病，一定要來看看這個真正屬於我們自己的國家，以及幾個從美國移民到這邊來的親戚。」我可以想到當她擁抱那些親友以及回到母土時的激動。

計程車帶我到托爾旅館（Tal Hotel），它靠海邊又靠市區。這是當地的「五顆星」——幾個第一流旅館之一，一切布置十分整潔，但十分簡單。我提醒自己：以色列的「第一流」不是歐美式的講究，也不是東方式的奢侈。

從十四日晚上八點四十分自新加坡搭夜機，次日凌晨抵雅典，在雅典逗留了一個白天，我已經四十八個小時沒有睡覺了。從旅館房間中的窗口向外眺望：燈光暗淡，眼前全多是灰黃色的建築。室內既沒有電視，也沒有冰箱，聽到英語廣播中在報導：「總理比金再度強調，炸毀伊拉克的原子爐，是一件正確的維護以色列國家安全的歷史性決定。」

這不是度假的地方，不能從觀光客的角度來批評機場與旅館。這是一個爭生死、求存亡，在中東一個孤立的國家。我們要以這種心情來看以色列——從以色列我們能學到什麼！

對於四個演講的觀察

星期天當然是休假天，但是在以色列，這是工作天。如果不知道當地習慣的人，以為以色列的老百姓真動勞，連禮拜天都還在工作呢！

今天再聽了四個演講及討論。他們分別是執政黨的國會議員Moshe Avens、勞工黨的國會議員Yair Tzaban、戴揚（Mośe Dajah，前國防部長、外交部長）、黨的候選人Ben Porat以及研究以色列戰略的中將Arieh Shelev。他們都以流利的英語，闡述當前的內政與外交各種問題以及他們所屬政黨的政策。從今天以及早先各位的演講與討論中，我的綜合印象是：

(1)以色列自稱是中東唯一的民主國家並不誇大。每一位演講時都反映出言論的自由。他們在愛國的前提下，高談濶論，言之成理。

(2)大部分都沒有演講稿，一個個講得流利。尤其難得的是在答覆問題時也都言之成理。

(3)討論過程中，我們團體中有幾位教授發表意見時，尤其猶太後裔，毫不客氣。諸如「你的立場不清」、「說法前後矛盾」等。雙方常有爭論，除了有一次例外，尚不失和氣。

(4)接待這些貴賓非常隨便。他們每一位都是獨來獨往，講完後也沒有人送他出門。演講過程中，二十餘人在小型會議室中，經常沒有冷飲、從未有過點心。這樣的方式比美國還隨便。我國招待外賓則又太正式，兩者折衷一下才好。

「莫索達」再也不會被攻陷

耶路撒冷的東南邊，就是「死海」，它與約旦交界，是世界上海拔最低的地區。在死海西邊有一座孤立的山，名叫莫索達（Masada）。這座一千三百尺之山巔上矗立了一座城堡。二千年前這裡有過一段猶太人抵抗外人的壯烈史章。

地理上，「莫索達」孤立在沙漠之中。

精神上，「莫索達」在猶太人心目中永垂不朽。

莫索達在公元前一〇三～七六年間曾被築成城堡。稍後在公元前四十年由赫魯特國王（King Herod）傾力興建，做為他萬一需要避難的皇宮。這座二十英畝的山巔，四面是峻壁，築有三十六個瞭望台，唯一可以上山的是一條被稱為彎曲危險的「蛇路」。

城堡裡面應有盡有：皇宮、教堂、花園、游泳池、浴室，並儲有足夠五年之用的水及食物。

當耶路撒冷在公元七十年被羅馬人占領時，九六〇位猶太人——男的、女的及孩子——就占據了「莫索達」來作最後的抵抗。羅馬軍在山腳下用了一萬餘名奴隸及士兵築了圍城，紮了八個軍營，窮三年之工築了一條斜度較低的通道，直達山巔。

寧為自由死，不願做奴隸

當山上滾下的石塊再也擋不住羅馬人時，猶太人的領袖終於在公元七十三年宣布集體成仁。

這位領袖要求每一個家庭的男人先殺死妻子及子女，然後根據抽籤，選了十個男人再殺死別的男人，最後一個男人先放火，再自盡。但有二個婦女及二個孩子未死，其中一個婦女把這段事蹟告訴了猶太歷史學家弗立斐司（Josephus Flavius）。他在《猶太戰爭》一書中有一段敘述，記錄守軍領袖El Azar在集體成仁前，向苦守三年的全體軍民講過下面令人感動的話：

我們是最先起來反抗羅馬。我們是最後失去這個抗爭。感謝上帝給了我們這個機會，當我們從容就義的時候，我們是自由人！

明天拂曉，我們的抵抗將終止。不論敵人多麼地希望我們做活的俘虜，但是他們沒有辦法阻止，我們可以自由地選擇與所愛的人一起死亡。可惜的是，我們不能打敗他們。

讓我們的妻子沒有受到蹂躪而死，孩子沒有做過奴隸而死……讓我們把所有的財物與整個圍城燒毀……但是不要燒掉糧食，讓它告訴敵人我們之死並不是缺糧，而是自始至終，我們寧可為自由而死，不要做奴隸而生！

當我們今天再重讀這段話時，仍被他這股浩然之氣所感動！當我在烈日下登上這座山巔細察廢墟時，不禁想起我國歷史上有著更多這種感天地、泣鬼神的史蹟！

二千年前「莫索達」的史蹟，是一段悲劇式的英雄故事。二千年後，以色列空軍中最優秀的空降部隊的入伍生就在這沙漠之中、四處懸壁的山巔上，莊嚴地宣誓：「莫索達再也不會攻陷！」

有這樣悲壯的歷史的引導，以色列是不容易再被征服的。

以色列生存的奇蹟

以色列本身的存在就是一個奇蹟。從一九四八年五月建國以來一直受阿拉伯國家包圍。宣布獨立的當天，就受到埃及、敘利亞等六個阿拉伯國家的聯合攻擊。以色列一次又一次的創造了求生存的奇蹟。最近的一次「死裡求生」就是一九八一年六月七日先發制人炸毀了伊拉克的核子反應爐。

這次的突擊引起了全世界的公憤，包括美國及所有其他國家的公開譴責。我國的輿論也正確地聲討這次「野蠻行為」。但我想從另一個觀點談這次突擊。它從計劃的構思到執行的成功又再度表現了「以色列精神」的一面——經過仔細計算的危險（Calculated risk）以後所帶來的收穫。我並不贊成以色列這種做法；只是用這個例子來討論它求生存的立國精神。

摧毀伊拉克核子反應爐

突襲伊拉克首都的核子反應爐，以色列面臨幾乎無法克服的困難：

(1) 穿越六百五十英里的沙烏地及伊拉克的領空，避免伊拉克的戰鬥機及保護核子設備的地對空飛彈。

(2) 避免美國駐沙烏地東北面的偵察機。

(3) 摧毀核子設備，尤其要摧毀埋在地下十二英尺的鈾加工廠。

(4) 盡量減少在核子反應爐工廠工作人員的傷亡。這包括了一百五十位法國及五十位義大利的技術人員，以及附近的居民。

除了這些軍事上的困難之外，以色列總理比金也面臨政治上的考慮；由於六月三十日的國內大選，如果在這以前突擊成功，他被指責是「製造軍事勝利，贏取選票。」如果在六月三十日前突擊失敗，他自己也就可能在非常接近的選舉中葬送了自己的政治生涯。

突擊等於一顆原子彈

根據以色列的情報，伊拉克的核子反應爐可能在七月一日前後裝竣操作。他們認為，如果在操作之後再被摧毀，會引起原子幅射的危險，造成更大的災害。比金曾考慮在四月下旬及五月十日二度突襲，但都因為國內政治的考慮而改期。比金更考慮到，如果他選舉失敗，勞工黨的培瑞斯（Shimon Peres）擔任總理後，他不敢下手摧毀。那麼比金會使自己終身遺憾。因為這會使以色列人民永遠生活在敵對而又難以預測的原子威脅中。

比金的突擊，雖然成功地摧毀了伊拉克的核子反應爐，但他這種軍事行動的本身不亞於以色列自己向全世界擲了一顆原子彈。自由世界的軍事與政治評論家在討論：

(1)如果以色列能這樣做，非洲國家是否也可以摧毀南非在Pelindaba的原子設備、印度，可以摧毀巴基斯坦在Kahuta的原子設備呢？

(2)以色列的這一罔顧世界輿論的舉動，說明它不是屬於理性的「西方世界」之一員，而是具有衝動冒險中東阿拉伯的心態。因此，西方世界以後要有這種態度來談「中東和平」。

(3)幸虧有四個其他因素使這次突襲沒有擴大。它們是：以色列本身軍力的優勢、目前石油的過剩、美國政府的及時指責、以及阿拉伯國家減少了對伊拉克有核子武器的隱憂。但要尋求中東的「持久和平」是愈來愈渺茫。

(4)同情以色列這次突擊的人也指出，它曾以外交甚至暗殺的方法來阻止伊拉克的興建核子反應爐而失敗。伊拉克的總統是一個不可捉摸的野心家，一旦有了核子武器，以色列會有「再一次浩劫」的威脅。

六月十七日《國際先鋒論壇報》刊出一篇讀者投書，他支持以色列的突襲，他問：「產銷豐富的伊拉克為什麼要用昂貴的原子爐來增加能源？為什麼批評以色列的人不想出別的辦法來減少伊拉克造成的危機？為什麼美國侵入伊朗救五十個人質被認為是合法合理，以色列為了保護它的人民摧毀伊拉克的核子爐是非法？對這些問題的解答與國際法律及道德均無關，只表示出國際上的虛偽。國家應當以國家的利益採取行動。」

六月二十六日《耶路撒冷郵報》報導：八三％的以色列人民支持這次突襲，十一％反對，六％沒有意見。

美國大使館負責分析以色列政策的一位官員，在六月十八日的「背景分析」中陳述他的幾點看法：

(1)炸毀一個簽訂原子能和平用途的伊拉克的核子反應爐，當然會引起國際間的強烈批評。增加了以色列在國際上的孤立。

(2)以色列人民當時曾為比金總理這個勇敢的決定歡呼，但是十天以後逐漸了解付出了「國際譴責的重大代價」。

(3)中東國家私下高興去掉了伊拉克擁有核子武器的可能性，但不敢公開表示。但是這一事件使中東各國減少了彼此之間的猜忌。

(4) 突襲的時間使人不得不懷疑比金總理是受政治選舉的影響。

沙漠中的仙人掌

以色列突襲的成功，就靠事先計劃的周詳與執行的徹底。不像卡特去年救伊朗人質時在沙漠中所造成的悲劇以及笑柄。以色列是怎樣突襲成功地呢？

(1) 以色列政府從去年十月開始，就開始準備這次突襲，由空軍司令與情報局長負責。

(2) 精選了二打技藝高超膽大心細的飛行員，領隊是參加過以埃三次空戰的一位空軍上校。

(3) 飛行員們不斷飛越約旦與沙烏地的沙漠，訓練他們克服沙漠中長途飛行的困難：容易疲倦，地面缺乏顯著標誌，以及探測約、沙二國雷達網的「死角」。

(4) 飛越沙漠上空時，有時低飛，有時高飛，有時機群密集飛行來減少雷達的偵察以及混淆雷達上的信號，飛行員也都要能說阿拉伯語及英語。

(5) 六月七日禮拜天以色列時間下午四時，十四架飛機從西奈空軍基地在晴空萬里中起飛。其中八架是F-16戰鬥轟炸機、六架F-15戰鬥機(一九八〇年春天，才從美國手中取得這種飛機)。九十分鐘以後(因時差一小時，伊拉克時間下午六點半)，飛抵伊拉克首都十二哩外的核子爐設備目標。八架飛機降低到距地面二千呎，然後每架飛機擲下二顆每個二千磅的炸彈，一共是十六噸的炸藥。一位在現場附近的法國技術人員事後形容：「個個命中目標。」

以色列時間快到七點鐘時，比金總理家的電話鈴響，空軍中將告訴總理：「十四架飛機於達成任務後已全部安全降落。」比金回答：「上帝保佑！」

讓以色列以外的人來一致譴責比金，但是以色列的人民在歡呼。這就是「以色列精神」——為了國家生存，勇敢地冒險，成功地執行。真像沙漠中的仙人掌，以色列帶著刺屹立著。

一九八一年六月

第二部

經濟是文明台灣的基礎

台灣在一九六〇～一九八〇年代曾經締造為人稱道的「經濟奇蹟」，但一九八〇年代末，受人羨慕的「寧靜革命」卻開始陷入「民粹」危機……。

必須認清痛苦的現實。台灣的黃金時代已過，小確幸也是短暫的自我感覺良好。

四面八方的烏雲，構成了台灣必須面對的悲觀趨勢——經濟長期衰退、社會長期虛弱、生活水準長期停滯、兩岸關係長期緊繃。

小國的唯一生存發展之道：是以「和為貴」為前提，用在兩岸，也用在兩黨；培養兩岸互信不需花錢，只要需智慧。兩岸對抗中，台灣花再多的錢在軍費上，所得到的是更多的不安全感。

13 「空」飄蕩在台灣天空，「虛」出現在四面八方

——「實」是二〇一八的關鍵字

學與思

- 台灣社會常會陷入一種自我感覺良好的迷思，將「小確幸」誤認為「台灣已是一個文明社會。」到底真正的「文明」是什麼？
- 在政治人物華而不實的「空話」之下，台灣經濟陷入空轉，若要重新找回創新力與競爭，我們應該有哪些正確的心態？

小確幸？大不幸？

近年來社會上常出現一個自我感覺良好的描述：「台灣已是一個文明社會。」我多麼希望這是一個真切的形容。可惜，台灣距離文明社會還有一段漫長的距離。廣泛地觀察，文明社會可以包括美國、加拿大及一些西歐國家。真正名副其實的，大概只能指北歐三國：瑞典、丹麥、挪威。

因為自己的教研，一九七〇年代初就走訪過西歐與北歐諸國，一九八〇年代初也走訪過蘇聯及東歐各國（曾出版過一本小書《共產世界去來》）。從經濟發展模式看：北歐是社會主義下的市場經濟，蘇俄則是共產主義下的控制經濟。北歐社會的運作是以「高」稅率與「高」物價，得到了生活素質「好」與社會福利「好」。

台灣的「小確幸」是在經濟起飛年代靠低工資、低物價、低稅率、低環保，達到了一個中等所得國家的生活水平及社會福利，此刻則陷入中等所得的陷阱之中。社會上仍迷戀著那些過時的政策，白吃午餐的心態有增無減。國營事業對電價、水價、油價的控管，政府對學費、規費等的規定，助長了資源分配的扭曲

（當蘭嶼用戶的電費免費時，有些家庭的冷氣二十四小時開，門窗也不關）。

更由於政府稅率不敢調整，寧可大量舉債，其結果是既無財源推動大規模的公共建設及產業發展，也無財力調升公部門人員的待遇（如十餘年來大學教授薪資的停滯），民間的薪資也欲振乏力。這是可以持續的「小」確幸？還是正走向「大」不幸？

實事、實話、實心

台灣在一九六〇～一九八〇年代，曾經締造為人稱道的「經濟奇蹟」，但如今陷入了「中年」危機；一九八〇年代末，受人羨慕的「寧靜革命」也陷入「民粹」危機。根據《經濟學人》二〇一七年預測，台灣經濟的每人所得約二萬三千美元（經過國際價格調整）居然接近五萬美元，在亞洲僅次於新加坡，但高過日本約一萬美元。

可是台灣的低物價水準，也使全社會付出了長期的成本代價，及不易立刻察覺到的後遺症；如在民意壓力下，國營事業壓低電價、油價、學費等，形成資源誤用及國庫負擔；低價格使小型企業難以獲得合理利潤，從而提升工資改善品質；也助長低劣的黑心產品出現，危害消費者健康。民粹的立場就是物價不能漲，後果則不聞不問。面對剛剛實施的「一例一休」，政府喊話：「產業不要趁機漲價。」

台灣經濟轉型的困境來自：⑴企業家缺乏巨額投資、大量研發、長期發展的格局與策略。⑵政府的產業發展策略，宣示多於效率，又受制於經費及說服力之不足，在立法院遭遇各種杯葛。⑶全球化之下各國競爭的激烈，大陸經濟之快速竄起，兩岸關係之不確定，在在壓縮了台灣產業擴展及轉型。

上週參加在新加坡的馬新媒體人論壇，在「媒體的正能量」主題討論上，我提出人民可以從「三實」做起：做實事、說實話、存實心，進而實踐星雲大師提倡的「三好」。

《聯合報》選出「茫」字代表二〇一七年；我的選擇則是「空」。

二〇一七年台灣的天空，飄蕩著政治人物彩色繽紛的各種「空話」。它以各種炫目的方式呈顯：承諾不切實際的改革，開出畫餅充飢的支票，宣布華而不實的政策。「空」是「家不和萬事不興」下的結果，所產生的「虛」（與「亂」）則反映在四面八方：立法上、國防上、財政上、教育上、生活上、兩岸關係上……。

台灣經濟在這種空話與空轉下，所出現空蕩蕩的經濟活動，怎會有創新力與競爭力？要奢望台灣走向文明社會，豈不是緣木求魚？

重拾「文明」，扭轉台灣頹勢

台灣經濟陷入困境的另二個主犯，就是政黨惡鬥與媒體惡報。二十餘年來的台灣民主史，幾乎就是一部在民粹與少數媒體驅動下，內耗與內鬥的紀錄，造成了「產、官、學、民」陷入悲觀、冷漠、錯愕、硬拗，其結果是造成了政策牛步，政治奧步，台灣退步。這時，唯有重拾「文明」的價值觀，才能避免無謂的虛耗。

「文明社會」是泛指匯聚的社群，擁有高度文化水準及科技發展，同時擁有多元創新的制度，相互包容尊重的生活方式，以及共同致力於永續發展。要構建及維繫這種「文明」，社會就要付出「代價」。

「代價」包括了巨大的經費支援，如擁有一流的公路、機場、港口、醫院、博物館……；另一方面是難以數字化的表現，如具有文明素養的公民，熱心參與公眾事務等。

大家想想看：在台灣買一張去花蓮的車票都困難，要拆幾間房子推動都更要等幾年，一個外籍生設法留下有多不容易！這不是有些像第三世界嗎？更不要提文明社會應當要擁有世界一流的大學殿堂、實驗室、體育館，以及民眾擁有高度的包容、公平及同理心等。

文明社會的一個重要前提，是不能坐視這些媒體現象：把「壞」消息當成「好」新聞來熱賣；把做壞事的「惡人」當成「名人」；把翻雲覆雨的「政客」當成「英雄」；把信口開河的「發言」當成「專家」；把違反原則的「小人」當成「功臣」；把堅守原則的「君子」當成「無能」。

歲末之際，勇敢地告別「空」與「虛」的幽靈；產官學各界在新的一年中，「實實在在」地實幹苦幹，共同努力扭轉台灣頹勢。

二〇一七年十二月

14

有實力就有尊嚴
——二〇一八的信念

學與思

- 我相信一切靠自己：盡一己之力、用一己之強、少一己之私、無一己之怨。自己有本領、品德，就擁有了尊嚴。
- 在政黨惡鬥，民主走向民粹的社會氛圍中，經濟衰退看不到盡頭，在內耗中，我們要如何找回理性再出發？
- 有實力才有尊嚴，國家若失去尊嚴，就會從國際舞台上被消失。

相信自己的爭氣

一九六一年一月，在美國電視上聽到甘迺迪總統就職演講詞中的名言：「Ask not what country can do for you, ask what you can do for your country.」當時來自台灣的青年熱血沸騰，自由民主的美國，就像當年反共抗俄的中華民國一樣，是要求青年為「國家奉獻」的。一九八〇年雷根競選總統的二句話：「政府不能解決問題，政府是問題製造者。」「我要把權力從政府轉移到人民的手中。」那年我已出來教書十六年，深知政府是一個會講不太會做的、超龐大又複雜的機器。

台灣進入民主已三十年。到今天人民的心態還是依靠政府，政府是主人，政府是保母。政府更自認有當仁不讓的責任，包山包海，無所不為；大至數百億的軍購，細至核准公私立學校的學費及招生。

台灣人民享受了形式上的民主投票與公開批判政策及官員的自由；實質上，特別是大小企業，還是事事仰賴政府的批准、否決、指導，以及接受行政的效率或無效率。

王健壯在《聯合報》名人堂（二〇一七年十一月二十七日）的文章標題是：

〈這個政府像一路狂飆的火戰車〉，那麼他是否再補二篇：「這樣的在野黨像一群退縮的綿羊」以及「這樣的人民像一池溫水中的青蛙」。

當社會各界對公部門的建言已難以發生作用時，只能鼓勵每一個企業、每一個公益團體、每一個個人、每一個家庭：自求多福與奮發自強。

認清淒涼的長期衰退

在溫和成長的二〇一八，首先認清痛苦的現實。台灣的黃金時代已過，小確幸也是短暫的自我感覺良好。四面八方的烏雲，構成了台灣必須面對的悲觀趨勢：經濟長期衰退、社會長期虛弱、生活水準長期停滯、兩岸關係長期緊繃。兩岸關係好，台灣有可能水漲船高；兩岸關係不好，台灣經濟無法好。股市過萬點，社會無感。

兩個重要經濟指標提供長期悲觀的線索：經濟成長率從一九五〇～二〇〇〇年間，每年平均高達八．一%；二〇〇〇～二〇一六年民進與國民兩黨執政期，跌落到一半以下（約三．八%）；蔡政府上任一年半以來，二〇一六經濟成長率一．四八%，二〇一七預估稍升為二．三三%。再從實質薪資看，二〇〇〇後的十六年，幾乎完全停滯不前，這就是為什麼全民抱怨：房價太高、月薪太低、消費不足、人才出走……。

這就是國際上所流傳「中等所得陷阱」的真實場景。埋下這些地雷的重要因素是：我們嚮往的民主這個制度，就如在歐美一樣，已無法有效治理一個中產階級萎縮、貧富差距擴大、工作機會減少、意識型態分歧、利益團體偏執、民粹與網軍竄起的社會。不僅財政與貨幣政策處處受阻，政治考量更是凌駕一切，干預了經濟運作及理性決策。

此一現象在台灣也造成了歷任行政院長的快速折損。在陳水扁與馬英九二位總統任內，各換了六位，前有唐飛、張俊雄、游錫堃、謝長廷、蘇貞昌、張俊雄（再任）；後有劉兆玄、吳敦義、陳冲、江宜樺、毛治國、張善政。

政府強烈干預、首長頻頻更換、「政治正確」下的討好心態、政黨鬥爭下的偏執、多數民眾的冷漠、部分媒體的惡劣，就如火上加油，台灣衰退也就一發不可收拾。

世界上有兩種腦袋：自己「換腦袋」，向別人「借腦袋」。鄧小平的換腦袋，走向改革開放，變成了歷史性人物。美國最會借腦袋。如果美國沒有吸引到愛因斯坦、熊彼德、海耶克、杜拉克、貝聿銘、馬友友……美國社會的面貌會變得多麼蒼白。

川普執政最大的失策，可能是歧視性地限制外國人才進來。

內耗中要靠「四步」再出發

到過台灣的大陸朋友最稱讚台灣社會的，就是勤奮、善良、熱心、有秩序、有公德心……。它活生生出現在每一個時刻、每一角落；但這些可貴的美德在台灣媒體中幾乎找不到。

另一個現象也令人費解：那就是逢「中」必反、逢「漲」必反、逢「改」必反，就是大家泛稱的「台灣流行病」；其中尤以逢「改」必反，像癌症一樣，已進入第三期。

任何改革，一定牽涉到對現狀的調整，只要侵犯到自己一絲利益、一絲不便、一絲不確定感，就出現不成比例的反對聲浪，甚至幕後發動示威或恐嚇。結局是改革熄火。

為什麼社會不能出現另一種理性聲音來支持？或者為什麼媒體不多報導各種

建設性的修正，以集體智慧促其實現，而不是萬箭穿心，胎死腹中。

要治這個流行病，也許只有靠我不斷重複的「四步」。「四步」就是對台灣社會長期發展有利的事，大家「進一步」來理性獻策，大家「退一步」來相互折衷，大家「讓一步」來取得共識，大家「跨一步」來全力推動。

誰還有更好的辦法？請與大家公開分享。

實力是尊嚴

大部分的人民不要變成大官，握有政治權力；也不要變成大企業家，變成巨富。大部分的人民是安於現狀，過一個中產階級的生活，但是要有安定感與幸福感。這包括了：

⑴孩子有書念、畢業有工作、家庭很安定、中年變小康、也能出國旅遊、退休有保障。

⑵社會上充滿法治、正義；有創意、肯創新的人能有機會嘗試。

⑶市場機制下，人人有成功、也有失敗的可能，但貧富與地區間的差距不能大，弱勢與低所得要得到照顧。

台灣觀光客在巴黎展現尊嚴

物價水準相對低，台灣GDP Per Head調整後竟然超越法英日。

根據英國《經濟學人》最新預估的《2018全球大趨勢》中資料，台灣每人國內生產毛額為23,614美元；經過國際平價指數調整後，高達51,710美元。此一調整後的每人所得居然超越了法國、英國、日本等國。

台灣觀光客在巴黎（倫敦、東京）消費，知道自己的所得還高過巴黎人時，臉上終於展現出自信與尊嚴。

國際平價指數（PPP）調整後
2018年台灣每人國內生產毛額（GDP Per Head）
（六個國家或地區的比較）

單位：美元

國家／地區	調整後	當年幣值
台灣	**51,710**	**23,614**
法國	45,860	40,758
英國	45,650	38,175
日本	44,220	39,806
南韓	39,350	29,902
中國大陸	18,350	9,223

資料來源：“The World in 2018”, Economist, P109-117

(4)兩岸關係穩定，走向雙贏的可能。誰執政、哪個政黨執政不重要，重要的是要能提供全民這種安定感與幸福感。

一切靠自己

從政要爭選票，發財要靠股票，經商要賺鈔票，我有時佩服那些人的選擇。自己做一個讀書人，一生何其簡樸、單純、幸運！

我相信一切靠自己：盡一己之力、用一己之強、少一己之私、無一己之怨。靠自己的實力，就必須好好讀書、好好做人、好好做事。

自己有本領、品德，就擁有了尊嚴。

如果再能有「無我」與「捨得」，那就更是如虎添翼，無往不利。

在兩岸關係難以解凍下，兩岸各種實力的差距愈來愈大。人民的尊嚴與自信——尤其年輕世代——都會受到更嚴厲的考驗。

告別茫茫的二〇一七，除了爭氣別無他法；除了實力別無替代。爭氣與實力的結果：就是尊嚴。

二〇一八年一月

15 不要低估川普攪局
——兩岸的交流與和平面臨雙重風險

學與思

- 小國如台灣，如不能與周邊大國或強國和平相處，人民的福祉難以穩固。
- 「軍火」不能保證國家的安全，更重要的是領導人的「智慧」。
- 小心政客們為了展現「政治正確」，用買軍火來挑起民粹。
- 戰爭無情，和平無價；交流無悔，合作無敵。

二〇一八年七月十三日，前國民黨主席連戰在北京與中共領導人習近平談話時指出：「做一個頂天立地的台灣人和做一個堂堂正正的中國人，是相容而不相排斥的。」兩岸的交流與和平不要讓川普攪局。

美學者任雪麗（Shelley Rigger）日前憂慮地評論：陸美賽局中，此刻台灣已被美國政府納入抗中籌碼或被拋棄的雙重風險中。

民意在轉變中

自戕或傷人的槍枝，就看扳機的方向。

核戰會不會爆發，就看誰先敢按下那個按鈕。

MAD（共同毀滅：Mutually Assured Destruction）或MAP（雙方和平：Mutually Assured Peace），就只有一字之差。

兩岸關係上，要獨立不怕打仗的，要交流不要對抗的，二者的差距，不是台灣海峽，而是戰爭與和平。

金門大學的校園中，有八個大字：「戰爭無情，和平無價」；我要再加八個大字：「交流無悔，合作無敵」。

為了下代子孫，我寧可冒些風險，多辦幾所一流大學，少買幾艘潛艇。國家安全的保證不來自軍火，它來自領導人的「智慧」。

要國會通過拼裝式的軍火預算，就像買玩具一樣，接近兒戲。

在國家生存與發展的大計上，領導團隊唯有盡一切力量，與對手交流、合作、和平；否則，在轉變中的社會氛圍，選民最後的唯一選擇就是：「換人做」。

不能輕視川普的任性

二〇一七年四月，在美國佛州與川普會晤中，習近平指出：「中國堅定不移地走向和平發展道路，不奉行你輸我贏的理念，不走強國必霸的老路。」我要特別提醒，當習近平面告川普：「強國不霸」時，已完全看清楚川普就職一年多以來所表現的霸氣、傲慢以及時時在變的任性。

七月十七日川普在赫爾辛基與普京的高峰會中，對俄國介入美國總統大選所做的發言，已被《紐約時報》公開譴責為「背信忘義的賣國賊」。

在川普的言行、道德、執政遭受國內外共同鄙視之下，他對台灣的談話或承諾，要格外地打折扣。面對強勢的大陸，台灣的命運怎可被他當兒戲般地捉弄？與川普的說客或謀士打交道的台灣官員，要有良知及判斷，並且要負法律責任，不能上鉤，不能上當。

中美兩個大國的某些政策與產業，今天已陷入全面對撞之中（如貿易戰、科技禁令、軍演擴大、南海爭議、區域合作）。美國近月也不斷對大陸用出它的台灣牌，包括了軍艦穿越台灣海峽，出售一些武器，政府較高層次的接觸等。

芬蘭只有五百五十萬人口，與強大俄國為鄰，從來不可能靠武器（硬實力）來對抗它們的強大及野心。

小國如台灣，領導者如不能與周邊大國或強國和平相處，政權就如建立在沙灘上，人民的福祉難以穩固。

大陸如發動六波攻擊

台灣動輒花幾百億買軍火，實在要精打細算。花了六百三十五億買了三十架阿帕契直升機，剛在桃園龍潭舉行成軍典禮。不少人會問，把這六百多億用在人才培育上，是否更能增加台灣競爭力？

當前的處境是：面對中國大陸軍力的快速竄升，兩邊差距已愈來愈大，台灣根本不可能要想倚靠「完全靠不住」的川普。靠「對抗」與「軍火」，台灣得不到安全；「交流」與「人才」則可以。

政客們展現「政治正確」，最廉價的方式就是買軍火。我則要大聲疾呼——最愚蠢的就是靠軍火來對抗。

前中科院院長龔家政最近在台北的「民主太平洋聯盟」論壇上指出：大陸可自海上、空中與地面對台發動六波攻擊，六個小時內癱瘓台灣。在這場快速有限非核戰爭中，美國將無從插手，國軍也難有招架餘地。在這幾個小時的攻擊中，既看不到解放軍，也看不到美國大兵。因此這位戰略專家沉重地指出：不要無謂的浪費國防預算及徒勞無益的建軍規劃。（《中國時報》七月十五日A4版）

設法對話總是對的

七月十三日連戰與習近平在北京的會談中，習再重申「要堅定不移擴大深化兩岸交流合作。」

大陸學者周志懷的解讀是：習以「將心比心」的說法來表達兩岸是一種對

等、一種平視；但也指出遏制台獨在未來不會是空話。

蔡英文執政二年來雖然進入「冷對抗」，連習會傳出了一個訊號：雙方還有峰迴路轉的空間。

連戰在二〇〇五年四月破冰之旅中，在北大演講的尾聲中宣稱：「走對路，才有出路。」十三年來，在馬英九執政的八年，他曾努力曲折向前；現在蔡英文執政，面對愈來愈嚴峻的冷對抗，理性的選擇只剩下一條交流的路。

陸委會主委陳明通近日在華府智庫的演講中表達：在不設前提下，願與大陸進行溝通與對話。不論各方反應如何，相互設法對話總是對的方向。

二〇一八年八月

16

天天說謊的川普怎能再創「美國第一」？

學與思

- 美國雖然曾是和平與繁榮秩序的捍衛者，可惜新選出的總統川普爭議不斷，台灣若想靠美國的保護來對抗北京，無異是緣木求魚。
- 台灣必須擺脫依賴心態，解決兩岸問題還是要靠自己比較實在。
- 如果川普能從「全球稱霸、美國第一」的心態中解脫，他也許就不需要每天說那麼多的謊言。

「驕必敗」的例證

一個國家已經是強國還不夠，要做第一強國；一個人已經是巨富還不夠，要做首富。野心之大，人心之貪，正是世界動盪、社會不安的一個根源。美國總統川普上任一年九個月的言行，提供了近世紀以來美國領導人最惡劣的例子。

二次大戰後，美國被公認是一個民主、開放、富裕的偉大國家。一九九一年蘇聯解體，市場經濟終於獨領風騷，美國變成唯一超強。

擺脫不了歷史的鐵律：擁有了絕對的權力，就啟動了各種現象的衰落。在世界舞台上，不斷出現美軍的直接參戰，美國政府處理國際事務的獨斷與傲慢，跨國企業營運的自私與貪婪，人民的自滿與過度消費，貧窮差距的持續惡化，處處出現了嚴重的失衡，提供了東方文化中「驕必敗」的當代例證。

二〇〇一年九一一恐怖份子摧毀了紐約世貿雙子星大樓，布希先後發動阿富汗及伊拉克的軍事報復。二〇〇八年發生全球金融海嘯，華爾街惡名昭彰列為元凶。危機重重中，中國以龐大的外匯及政府效率，扮演了穩定及刺激全球經濟的角色。在國際舞台上，中國第一次展現實力，幾乎與美國並駕齊驅；但中共領導人在國際場合一再宣稱：「中國不搞霸權，中國本身還有很多難題要解決。」

每天都說謊的新總統

二〇一七年一月美國新總統川普以「美國第一」為政見號召上任。一夕之間一位經營地產及賭場的富豪，變成了全世界最有權力的人。這真是美國選民的一場豪賭。果然選前大家對川普各種缺陷的擔心愈來愈真實：信口開河、脾氣急躁、貪財貪色、濫用權力、品格惡劣。

用政治人物「民無信不立」的總體指標，來檢驗這位總統，那麼「川普每天說多少次謊」已變成了當前美國顯學。

川普所說過的謊言，有各種算法，如每天接待國賓、每次內閣會議、每次記者會、每次公開演講、每次推特……。引述三個媒體統計：

- 到任六百零一天時，總統所說有五千次被認為是「完全不正確」或「部分不正確」。
- 平均每天八次「說謊」（untruths），而且是趨勢上升中。
- 九月四日～九月十三日間，每天平均講了三十二次「假」的或「誤導」

的話。

我們不需要捲入嚴格的定義之爭。以「謊言」「不真實」「誤導」來形容川普的英文字有"lies""untruths""misleading claims""mistruths"等。大多數會同意的是：百年來沒有一個美國總統像川普這樣說過這麼多假話（或謊言）。

我真正要強調的是：這麼一個不誠實的人，怎麼能當一國領袖？更何況大家心目中的美國一直是實踐自由、民主、法治、透明、公平……，這些文明價值的典範？他的誠信連一個最基層的公務員都不及格。

十一月六日是美國期中選舉。有人預測共和黨眾院的多數面臨挑戰，但仍能擁有參院微小的多數。然有不少選民與利益團體是支持川普的：如減稅刺激經濟；增加關稅，保護美國產品；嚴控移民，保護就業；參與國際組織負擔要減少；還有爭議性的題目如空氣汙染、同性戀、槍枝管制等。他所採立場，有短期好處，也有長期後遺症。

台灣要當心「完全靠不住」的川普

面對這位謊言不斷的美國總統，就任以來一直霸凌、單邊主義、反覆無常。

台灣想靠美國的保護來對抗北京，引述二〇一八年八月號《遠見》我寫的話：「當前的處境是：面對中國大陸軍力的快速竄升，兩邊差距已愈來愈大，台灣根本不可能要想倚靠『完全靠不住』的川普。靠『對抗』與『軍火』，台灣得不到安全。日前接受《彭博》專訪時被問到川普是否會出賣台灣，柯P回答『當然』。」

美國副總統彭斯不久前強烈指責：「中國想換掉美國總統。」北京有人說：「我們沒有這樣想，但美國選民可能這樣想。」

具有全球影響力的《紐約時報》政治評論家佛里曼去年六月來台灣領取「星雲真善美傳播獎」，問他如何評論川普總統時，他說：「我每週都有足夠的負面材料評論他，而且會吸引很多讀者，如果這樣做，我自己不會進步。」

因此，在邊欄中，讓我們來細讀他的觀點。

但是再創「美國第一」的題目，六年前佛里曼即有專著討論，我曾寫過一篇三千六百字的書評，濃縮後放在邊欄中與讀者分享。

佛里曼觀點：重建美國輝煌

佛里曼與外交專家曼德鮑（Michael Mandelbaum）二〇一二年合著了一本啟發性的著作《我們曾經輝煌》。《金融時報》評論：「本書提供了美國復興的藍圖。」

書中指出：「今天的美國生病了——無論在經濟或政治上都如此。」佛里曼從北京飛回華府，描述是從二十一世紀的現代機場回到了二十世紀的老舊地鐵，返家馬路也是坑坑洞洞。他發現：美國的輝煌已經過去。

美國出現了一連串的問題：教育品質、財政赤字、負債、信用擴張、能源與氣候變遷，以及缺乏強勁的整合能力與停擺的政治運作機制。尤其進者，美國也忘記做一個偉大國家應有的長程投資：教育、基礎建設、研究與發展，以及修改法令，吸納有才華的移民等等。

但他深信美國擁有龐大的無形資產，可以急起直追：如勇往直進的精神；多元的意見與才華；富於彈性的經濟；工作道德與追求創新；可以調整的政治和經濟體系。

書中特別強調：要讓有才華的新移民進來，因為美國最大的實力來自國外的移民。

作者呼籲要加強社會的整合能力，可惜因為意識型態的對立，媒體渲染的差異，利益團體的作祟，該推動的政策常不易執行。

佛里曼接受《遠見》（二〇一二年元月號）專訪時指出：「我不擔心我不能做第一名，我只希望我的國家能夠朝著對的方向前進。」這是何等充滿智慧的話！如果川普能從「全球稱霸、美國第一」的心態中解脫，他也許就不需要每天說那麼多的謊言。

二〇一八年十一月

17

西方「霸道」催生東方「王道」

——劉兆玄推動「王道永續指標」

學與思

- 面對反覆無信的川普，台灣變成了夾心餅乾，處境險峻不可不慎。
- 如果「君子」是中國文化的重要遺囑，那麼「王道」就是中國文化的重要實踐。台灣必須要在居安思危中，主動積極地想出對策。
- 「王道」指標與聯合國「永續發展指標」的整體相關度達到〇．九，提供了世界永續發展的重要思維。

台灣變成無能為力的旁觀者

國際情勢陷入了二次大戰七十年後前所未有的緊張與混亂。令人難以置信的是，當前全球混亂、全球地震的中心竟是在華府的白宮。一世紀以來的美國，一直被認為是世界秩序與和平捍衛者，在川普於二〇一七年一月出任美國總統後，短短的二年中，他要使「美國再偉大」、「美國第一」的政見，居然脫離了美國民主、自由、博愛的傳統，變成了一個「新」帝國主義。

川普撕毀或擱置多邊與雙邊協定，他強用保護主義的手段，他濫用行政命令等方式，變成了全球的麻煩製造者；尤其國內限制移民，國外啟動貿易戰，這些都違背了「拆除保護」與「開放雙贏」的世界規則。

面對這麼一個不按牌理出牌、任意改變遊戲規則及世界秩序的美國總統，我們二千三百萬人民的中華民國，大部分的時間只能做一個焦慮的旁觀者，無能為力；但是美國與大陸在持續對抗的局面中，台灣當然變成了夾心餅乾，二邊都隨時可被利用的棋子。想到這種可能性，我們不寒而慄。

如果「君子」是中國文化的重要遺囑，那麼「王道」就是中國文化的重要實踐。意見領袖們在台灣必須要在居安思危中，主動積極地想出對策。

「王道」可以做劃時代貢獻

西方霸權心態再復活，催生了有識之士對東方文化中關於治國、仁義、倫理、世界大同等觀念的推廣。近十年來劉兆玄先生不論在朝在野，一直在提倡「王道」（包括王者的氣概與智慧），甚至奔走於兩岸及其他地區，傳播中華傳統文化中的核心思維。

二〇一八年十二月他主持的「中華文化永續發展基金會」，舉辦了「王道永續指標全球評比」發表會，值得國內外社會重視，更值得西方國家虛心反省。

三十年風水輪流轉，如果東方日強西方日衰，大家都應當要坦然以對。正如《紐約時報》專欄作家佛里曼在《我們曾經輝煌》中的自問：「為什麼美國一直要做世界第一？」

什麼是「王道」？它的核心思維，在研究報告中以五個面向呈顯：⑴**仁政**；⑵**反霸**；⑶**民本**；⑷**生生不息**；⑸**同理心**——尤以仁政為主軸。

在孫震教授新著《半部倫語治天下》（天下文化，二〇一八）中，討論到與

「王道」核心理念相近之處甚多，以「仁政」為例，摘述幾則：「博施濟眾」是仁之極致；仁是「將心比心」；「己所不欲，勿施於人」；「紀綱敗壞，而國危矣」；「天下有道，則庶人不議」；「造福百姓就是仁」。

全球王道評比的項目範疇，涵蓋了政治、軍事、外交、全球經濟、環保、平等包容等，比哈佛大學奈伊教授提出的「軟實力」，其他專家學者提出的「成長極限」、「一個地球」、「包容性發展」等更廣闊、深入、人性化及在地化。

這五個元素構建了三個可以量化的領域：全球倫理、包容發展、環境均衡；進而發展出六十四個指標，可以與其他國際指標相互比較。

在二年的研發時間中，「王道永續指標研發小組」能做出這樣的國際比較，十分不易。其中令人矚目的重要發現是：「在永續發展的道路上，美國和中國同屬『脆弱的超強』(fragile superpowers)，也可以被形容為『高估的超強』(overrated superpowers)。」在王道(WDSI, Wang Dao Sustainability Index)排名分別是三十五名，四十名。在已開發國家中，美國排名最低，「顯示美國在國際事務上霸道，國內事務上相對王道；而中國則反之。」

王道總指標的前三名為瑞典、挪威、丹麥。台灣三十六名(緊跟在美國三十五名之後），新加坡二十五名，韓國二十八名，大陸四十名。

「王道」指標與聯合國「永續發展指標」（SDGI, Sustainable Development Goals Index）二者的整體相關度達到〇．九，顯示儘管二者思維及方法不盡相同，但仍擁有相當的共通性。

因此，台灣提出的ＷＳＤＩ指標再經過充實修正後，更可以受到各國認同，變成擁有中國思維與世界永續發展的新指標。

中華文化永續發展基金會任重道遠，但充滿可能，值得期盼。

二〇一九年二月

18 從政者的「雙缺」：氣度與速度

學與思

- 氣度就是「包容」與「承擔」；速度就是「急迫感」與「執行力」；這二者正是大多數從政者所欠缺的。
- 兩岸關係陷入僵局，就是因為雙方都無氣度可言；在「政治正確」下，可以為一個字、一個標點、一個譯名、一個稱呼破局，而還以此沾沾自喜。
- 不論是僵局或破局，所流失的是最珍貴的「速度」，連帶也就喪失了「機會」、「想像」與「競爭力」。

「官不聊生」、「民不聊生」

當人才不肯進政府大（窄）門時，這個社會註定了長期衰落。二十年來的台灣正就是這個不幸的實例。在陳水扁和馬英九總統任內，八年之間各換了六個行政院長，平均「作客」時間一年四個月，這就反映：組閣時人才難覓，接著是入閣後人才折損；然後出現惡性循環：不得不用二流人才，替換率也愈來愈高。冷靜地想一想這幅淒涼場景——板凳還沒有坐熱，就換位置；換位置，就換腦袋；腦袋還沒有調整好，又調走了。

放眼當前政治任命的官員，不少人是既欠缺「氣度」，也欠缺「速度」。二者併發時，就磨損了社會的進步與民間的活力，在我較熟悉的財經及教育領域，令人惋惜的實例不斷出現。

美國著名的管理學家湯姆．畢德士（Tom Peters）一再強調：「速度就是生命，組織應該快速前進，否則只能等待瓦解。」他指的是企業，用在台灣的公部門及國會更是一針見血。政策的拖延與法案的擱淺，就是速度的停滯與改革的縮水。

如媒體出現公僕「難為」，那就是政策「停頓」；如有所謂「官不聊生」，其結果必是「民不聊生」。打破這個惡性僵局，必須要確定從政者有對的「氣度」。

氣度大者，所展現的是自信、是善意、是謙讓、是合作、是往前看、是承擔合理的吃虧或風險，去創造新的機遇或可能。僵局要打開，內鬥要減少，社會要進步，就必須要讓氣度大者出頭。

回顧兩岸關係，多年來之陷入僵局，就是因為雙方都無氣度可言；在個別的「政治正確」下，可以為一個字、一個標點、一個譯名、一個稱呼破局，而還以此沾沾自喜。

不論是僵局或破局，所流失的是最珍貴的「速度」。鎖國的最大損失就是喪失了「機會」、「想像」與「競爭力」。

在一九九〇年代中，李登輝誤信「中國崩潰論」的說法，喪失了台商布局大陸的黃金時期，沒有能趕上大陸的快速成長；完全

氣度大小的比較

試列下表比較：

	氣度小者	氣度大者
(1)	一己私利	大我利益
(2)	用圈內自己人	借重各方人才
(3)	聚私財	散大財
(4)	在乎當下	一心爭千秋
(5)	善於算計	胸有遠見
(6)	守舊保守	創新有為

沒有認清：大陸經濟的起飛，是可以帶動台灣經濟的水漲船高。

小國的生存發展

小國在國際舞台上有時被形容「彈性」、「靈活」；更多的時候，則是變成受大國擺布的棋子或馬前卒。此刻的台灣正陷入美中貿易大博弈中的一個籌碼，不可不慎。

回想起二〇〇七～二〇〇八年全球金融海嘯時，美歐大國重傷，小國典範的愛爾蘭、冰島受創更大。諾貝爾獎得主史蒂格里茲（Joseph E. Stiglitz）就指出，當全球經濟產生風暴時，「小型開放經濟」就像大海中的一葉扁舟，充滿難以預測的危機。曾經誇讚「小國神話」的《金融時報》專欄作家拉赫曼（G. Rachman），不得不承認「大國集團」再度當道。趨勢是「大」變成「好」，「小」變成「差」。外貿導向的台灣雖然聽到了警告，但也只能無可奈何地著急。

就在那次全球經濟大衰退中，中國以超過二兆美元的外匯存底，居然變成了歐美心目中扭轉世界經濟崩潰的救星！當時歐巴馬總統指出：中國是國際社會重要的領導者，不是具有威脅性的敵人；如果沒有中國，就不可能處理好國際問題。

二〇〇九年那一年，出現了可以改寫歷史的三位「第一」的人物：第一位黑人總統歐巴馬，可以改變美國的價值；第一位共產黨領導人胡錦濤，可挽救資本主義；第一位民選的外省籍總統馬英九，可以促進兩岸交流。可惜的是，在個別的時空環境下，他們受制於氣度不夠、速度不夠，造成了雄心落空、壯志未酬的遺憾。講到「速度」，習近平四月十日在博鰲論壇中說的這幾句話：「中國開放大門不會關閉，只會愈開愈大，而且我們將盡快使之落地，宜快不宜慢，宜早不宜遲。」這使我們想起多年前經國先生的話：「今天不做，明天後悔。」

只要當政者有速度感，公部門的決策就不該會慢；只要當政者有氣度，兩岸的交流就不該會拖。

要減少衝突的發生，必須要以「氣度」克服；要一個社會避免衰退，必須要「速度」管理。氣度就是「包容」與「承擔」；速度就是「急迫感」與「執行力」；這二者正是大多數從政者所欠缺的。

二〇一八年五月

19

提升「軟實力」，才是小國的生存之道

學與思

- 小國「不弱」、強國「不霸」，就取決於軟實力的運用。
- 當史達林嘲笑：「羅馬教皇有幾個步兵師？」教徒回答：「梵諦岡統治世界，從不倚靠軍隊。」這也是軟實力表現的極致。
- 培養兩岸互信不需花錢，只要需智慧。兩岸對抗中，台灣花再多的錢在軍費上，所得到的是更多的不安全感。

哈佛大學甘迺迪政府學院的學者奈伊，於一九八〇年代末期提出「硬實力」與「軟實力」後，立刻變成大國外交折衝上的新思維。

硬實力是指一國以軍事上的強勢來壓制對方，完成國家政策目標；軟實力是指一國以其制度上的、文化上的、政策上的優越性與道德性，展現其吸引力、擴散力、執行力。硬實力容易贏得戰爭；但需要軟實力才能獲得持久的和平。

更進一步地說，「軟實力」是指他人（或別國）願意來稱讚、學習、仿效、或者購買的「吸引力」。「軟實力」就是在社會高度「開放」及「競爭力」之下，所累積產生的有形與無形的力量：如文明的水準、國民的素質、民主的制度、公平的法治、透明的組織、誠實的交易、分享的行為、反省的能力等。

小國「不弱」，就是要靠軟實力

「軟實力」不是軟弱，與中國文化「以柔克剛」的智慧相互呼應。

小國「不弱」，就是要靠軟實力；人口都不超過一千萬的北歐三國，就是靠各種軟實力立足於世。諾貝爾獎的發源地在瑞典，每年頒發和平獎，不是勝利獎。

當史達林嘲笑：「羅馬教皇有幾個步兵師？」教徒回答：「梵諦岡統治世

界，從不倚靠軍隊。」這凸顯了獨裁者的盲點，這也是軟實力表現的極致。

芬蘭是只有五百五十萬人口的小國，與強大蘇聯為鄰，從來不可能靠武器（硬實力）來對抗它們的強大及野心。

另一個彈丸之地的新加坡，領導人堅持開放，化敵為友，全心發展經貿、金融、法治為主的軟實力，變成了全球競爭力最高之一。

小國如台灣，領導者如不能與周邊大國和平相處，那麼國內的發展就受到限制。馬英九八年的政績，就是建立了兩岸關係的穩定與交流；人民不需要在戰爭威脅中生活。台南市長賴清德素來贊成「台灣獨立」，但近日倡導「親中」之說，使人驚訝？還是驚喜？

二次大戰後的超強美國仍然要以參與韓戰、越戰、阿富汗、伊拉克等大小戰爭中稱霸；戰爭所引起超過百萬的難民潮、或偷渡喪生於海上、或徒步逃亡死於飢餓與疾病，真是人類的大悲劇。美國自認是世界警察，這幾場戰爭損傷了美國的道德、財力及民心，東方智慧的「驕必敗」，找到了西方的實例。

四月初中美領導人，在佛州海湖莊園的會晤中，習近平指出：「中國堅定不移地走向和平發展道路，不奉行你輸我贏的理念，不走強國必霸的老路。」當習近平面告川普：「強國不霸」時，要在元首外交史上記上一筆。

培養互信靠智慧

小國的唯一生存發展之道：是以「和為貴」為前提，用在兩岸，也用在兩黨；錢則用在刀口上。小國「不弱」、強國「不霸」，就取決於軟實力的運用。

培養兩岸互信不需花錢，只要需智慧。兩岸對抗中，台灣花再多的錢在軍費上，所得到的是更多的不安全感。

行政院剛提出的四年四千二百億的前瞻基礎建設，引發朝野重大爭議。七月十四日林全在立院要專業報告此一特別預算案時，引發藍綠肢體衝突，林全上不了台。我認為，比基礎建設更基礎、更前瞻的是「人力投資」。

台灣的人力素質問題嚴重，政策也相互矛盾——薪資太低、人力不足、品質不夠、外語不好、訓練脫節、大學過多、學費太低、成就動機弱、教育不鬆綁、陸生不易來、退休太早、靠政府太多。如果每年多撥幾百億，分散到各縣市，全面提升它們的教育品質，才是正確的選項。

二〇一七年七月

20

「維持現狀」就是加快衰落

——共同追求「美好人間」

學與思

- 台灣社會應該要跳出「小確幸」的溫水，讓頭腦變清醒、行動變快速。
- 我們的產官學界有各種各樣的「缺」，唯一最不缺的就是「爭議」。政治對立、利益團體分割，讓各種方案變得支離破碎，要治療台灣社會及兩岸對立，我們該追求什麼？
- 建議政商領袖：花七八成的精力、時間、資源，來創造及追求新機會；剩下的二三成，則清理過去剩下的毛病與弊端。

面對當前美國川普難以逆料的政策，內有兩岸關係的僵局，外有佛里曼提出的全球化、氣候變遷與科技進展三股力量的撲面而來，政府與民間如只能「維持現狀」，就是使台灣一天一天走向衰落；終至無法逃脫被淘汰的結局。

台灣只有一個選擇：凝聚國內共識與力量，共同往前衝，這隻青蛙才能有機會跳出「小確幸」的溫水，頭腦變清醒，行動變快速。新政府執政十個月以來，陷入的「清算情結」——算舊仇、追舊帳、審舊案，是優先次序的錯置；所提的一些新法案說帖，也立刻引發了世代、勞資、宗教、地區及各階層間的疑慮；進一步地擴大了原本缺少互信的社會，以及更多的對立，一例一休引起的爭議，更是火上加油。這真是情何以堪的台灣之冬。

台灣社會的「缺」與「不缺」

台灣社會缺什麼？不同的產業、不同的時間，這個答案可能是缺水、缺電、缺土地、缺人才、缺資金、缺立法、缺市場、缺工作、缺創新……。

面對這些「缺」，執政者從不缺產業振興方案、自由貿易區方案、都更方案、廢核方案、年金方案、長照方案……但是所有這些方案都因政治對立而接近停擺，或者是被利益團體分割得支離破碎，面目全非。很難使人相信台灣經濟由權威主導（一九八〇年代）變成民粹主導（一九九〇年代）後，其衰落會如此地快速。

台灣最「不缺」的就是「爭議」。各種爭議包括了課綱、年金、低薪、工時、司法、稅率、肥貓、獨占、壟斷、房價、電費、統獨、服貿、陸資、陸生……數不清，也講不完。

五個當前令台灣產官學界窒息的現象是：

(1) 國內政黨之間缺少共識。
(2) 兩岸之間缺少互信。
(3) 政治人物缺少包容與謙卑。
(4) 社會氛圍缺少和諧與妥協。
(5) 對國家前景缺少堅強有力的領導方向。

這些缺失的綜合結果，使台灣將難以扭轉這一蹶不振的頹勢。

值得追求的「美好人間」

當前能夠凝聚共識，產生互信的，當然不會是政治人物，而必須是要靠社會清流、教育工作者、社會志工、退而不休充滿愛心的年長者、以及宗教領袖。

近日再讀星雲大師的《慈悲思路．兩岸出路》，這本書實在是治療台灣社會及兩岸對立的一帖良方。

讀完後可以歸納出五種值得大家追求的「美好人間」：

(1)人間有一種願景，稱為美好社會。
(2)人間有一種覺醒，稱為捨得放下。
(3)人間有一種堅持，稱為消除仇恨。
(4)人間有一種希望，稱為和平相處。
(5)人間有一種美德，稱為慈悲智慧。

作者在書中指出：「我一生愛中國、愛台灣、愛中華文化。……假如我們兩岸慈悲，共同以中華文化救台灣，還怕未來沒有出路嗎？藍綠兩黨如果也有慈悲，還怕未來沒有有好的希望嗎？」

近年來自己常在海內外的演講中，向政商領袖建議：要花七八成的精力、時間、資源，來創造及追求新機會；剩下的二三成，則清理過去剩下的毛病與弊端。

新政府還剩下五分之四的執政期，有足夠的時間，調整政策優先次序，努力再出發。

二〇一七年三月

21

年輕人要出國學習：接觸陌生，改變自己

學與思

- 三十年前全球搶石油，然後搶資金，搶市場，現在則是搶人才。
- 青年朋友們：勇敢地面對陌生，接受改變！「熟」能生「懶」，「熟」能生「銹」；「改」能生「巧」，「改」能生「變」。捨棄同溫層，接觸陌生人。
- 矽谷的軟體工作者約七成是在國外出生的陌生人，「沒有陌生的外國人才的貢獻，就不會有大家熟悉的矽谷。」

走出舒適圈

近年來拿了中華民國護照，可以進出一百多個國家，不需事先簽證，這是難以置信的奢侈。一九七一年，在美國教書時，受邀到哥本哈根短期教研。一家四口，二個孩子在美國出生，通行無阻；我與妻子拿了中華民國護照，路經英、法、德等西歐各國，沒有一國不需要花一、二週才能辦好簽證，需要填各種表格，準備好機票、旅館、邀請函、相片、手續費，格外體會到「弱國無外交」的痛苦。

此刻出國這麼方便，可惜大多數年輕人是旅遊多，學習少。年輕人要好好出去讀書及工作，幾年後回來貢獻所學；走出小舒適圈，才能成大事。

一個國際機場上只看到自己的同胞，一個大學只看到自己膚色的教授與學生，一個商業鬧區只聽到同樣的語言、一個旅館進出的客人看不到奇裝異服，這就是保守、寂寞、冷清，在台灣看到的場景。全球化中占一席之地的台灣，竟然會有這種獨樹一幟的孤單！只能無語問蒼天。

事實上，這個被世人認為小確幸的台灣，到處充滿了對外國人不友善的規定，使人才望之卻步。行政院長林全近日已與立委溝通，希望立法院早日修正國外專才規定——對就業、居留、簽證、保險、租稅、退休、配偶等等不合理的規定，給予較多放寬、彈性及優惠。讓我大聲地說：這種法案的快速修正，才真正符合當前台灣要拚經濟的政策。

年輕人不出國學習，外國人才不易進來，台灣的明天在哪裡？三十年前全球搶石油，然後搶資金，搶市場，此刻搶人才。

多與陌生人接觸

佛里曼在《謝謝你遲到了》一書的第五章中，生動地描述了「陌生接觸推動社會轉變」。

記得半世紀以前初抵美國，從清寒的眷村生活，住到一位完全陌生的老太太富裕的家中，從她的言行與生活細節中，不僅沒有絲毫奢華，永遠散發出她的慈祥、信任及對弱者的慷慨。

以後在美國社會讀書與教書的生涯中，一直與「陌生」為伍。接觸到「陌生」的思想、行為、組織、文化、人物……。這種「陌生」接觸，竟然和已故歷史學者麥克尼爾（William H. McNeill）的經典之作《西方的興起》一個重要論點相符合，那就是「社會轉變的主要驅動力，是來自於陌生人接觸——這些陌生人擁有你完全不熟悉的新技能。」「和陌生人接觸，會激發我們產生不同的想法與做法，由於想要一較高下，創新便會發展。」

人人嚮往的矽谷與鄰近的舊金山，在過去五年湧入了約二十四萬陌生的、大多數是有科技才能的移民，矽谷的軟體工作者約七成是在國外出生的陌生人，尤以亞裔之印度和華人為主。因此有人評論：「沒有陌生的外國人才的貢獻，就不會有大家熟悉的矽谷。」

遠見調查：年輕人開始走向大陸

台灣經濟政策優先次序的錯置，投資的不振，內需的疲弱，薪資的低落，終於觸發了人才被「推出去」，以及人才被外面「拉過去」的警訊。他們用腳走向陌生的地方，去陌生的機會中尋找新天地。

遠見研究調查三月中旬發布：整體樣本中近六成（五八．八％）願意出國發展，半數以上（五一．五％）願意赴大陸發展，遠比去新南向地區的意願為高。（參閱下表）

Q：你是否願意出國發展？

	會	不會
整體	58.8%	41.2%
20-29 歲	71.3%	28.2%

整體樣本（1007 人）

Q：如果有機會，你會希望去以下哪些地區發展，包括投資、工作、或是求學？

地區	整體	20-29 歲
中國大陸	51.5%	59.5%
越南	31.5%	29.7%
泰國	24.1%	31.7%
印尼	23.5%	23.6%
菲律賓	15.9%	25.7%
其他	25.5%	29.9%

細看二十~二十九歲的受訪者，則有超過七成（七一．三％）願意出國發展。近六成的年輕人願意赴大陸發展，遠高於其他幾個主要的東南亞國家。三月初大陸總理李克強再度對台灣青年指出，在大陸學習、就業、創業、生活會提供更多便利。

青年朋友們：勇敢地面對陌生，接受改變！「熟」能生「懶」，「熟」能生「銹」；「改」能生「巧」，「改」能生「變」。捨棄同溫層，接觸陌生人；「陌生」可能會點燃你生命的火花。

二〇一七年四月

22 台灣「務實新世代」的崛起

學與思

- 十八至二十九歲的務實新世代，其實已經不受到太多統獨意識型態的拘束。《遠見》調查，愈年輕、教育程度愈高者，愈想去大陸發展。
- 有超過八成的年輕世代認同「中華民國」是我們國家的稱呼，不會自認為是台灣人，就排斥中華民國與青天白日滿地紅國旗。
- 擺脫統獨操作，不受意識型態拘束，勇敢面對挑戰，樂觀看待未來，這些都是新世代的特色。

賴院長宣稱自己是「務實台獨工作者」，面對「務實新世代」崛起，他及蔡總統將如何調適？

過去三十年當台灣民主政治陷入政黨對立及意識型態深淵，難以自拔時，二〇一八年十一月的台灣縣市長選舉結束後，從十二月上旬《遠見雜誌》的「二〇一九民心動向大調查」中，出現了令人鼓舞的新趨向。

這就是十八～二十九歲的「務實新世代」所擁有的價值觀。在二〇一九年元月份的《遠見》中進一步分析，歸納出此一年齡的幾項特色如：擺脫統獨、族群、悲情的操作，不受意識型態拘束，勇敢面對挑戰，樂觀看待自己的未來。我們可以從五個面向來認識「務實新世代」：

面向一　贊成九二共識、「一中各表」

不少人認為新世代是天然獨，但其中十八～二十九歲的年輕世代有五八．一％贊成九二共識，比整體比例（五三．七％）還高。對於「一中各表」的說法，十八～二十九歲的年輕世代中有六一．二％表示贊成。由此看來，從兩岸關係來看，此一年輕世代是更為務實的一代。

面向二　自由心，擺脫意識型態

整體而言，務實世代不受到太多統獨意識型態的拘束。愈年輕、教育程度愈高愈想去大陸發展，其中十八～二十九歲這群人中，四六．三%願意去中國大陸發展，儘管這群人是贊成台灣「盡快獨立」比例最高的（二一．三%；維持現狀者為五三．六%，贊成統一為一五%），但同時他們對大陸整體印象變好的比例達五一．四%。

面向三　自由意志，趨向政黨中立

務實世代的政黨認同是可變的，十八～二十九年輕世代有四三．八%政黨中立，不再是政黨的死忠支持者。在認同政黨的樣本中，三七．一%屬泛藍，二五．二%屬泛綠。

面向四　表現自信，不畏懼大環境挑戰

務實世代對未來經濟發展悲觀，但對自己未來的財務狀況樂觀。年輕族群不看好二〇一九年經濟發展，十八～二十九歲高達四六．八%覺得會變差，但對自

己二〇一九年的財務狀況，十八～二十九歲是最樂觀的一群人，五六．三％覺得會變好，高於平均（三五．五％）。

面向五　認同中華民國國旗國號，勇於對外「展現」

務實世代雖然有六九．九％自認為是台灣人，但八三．七％認同「中華民國」是我們國家的稱呼，八四．五％認同「青天白日滿地紅」國旗代表我們的國家。有六七．四％願意使用國旗標誌的用品，六〇．七％願意穿戴有國旗標誌的衣服或帽子，五九．六％願意在公共場所拿國旗，四六．三％願意把國旗號誌畫在臉上或貼在車上。年輕世代不會自認為是台灣人，就排斥中華民國與青天白日滿地紅國旗。

新世代的五個務實面向，帶給了台灣新前景。

（二〇一九《遠見》雜誌民心動向大調查，莊天憐、楊永妙整理）

二〇一九年一月

23

一人教兩黨、穩兩岸、救兩代

——韓國瑜的勝利

學與思

- 「讓台北拚政治，我們拚經濟。」韓國瑜用創新在高雄找到了打動人心的口號。他的勝利，不是他的黨籍，不是大老的站台，他用最大的力氣告訴選民：「台灣不能再分藍綠」。
- 韓國瑜在高雄的勝利，產生了哪些連鎖效應？帶給我們哪些省思？

「不能再分藍綠」

台灣民主選舉，居然出現了韓國瑜這樣一位草根性的群眾領袖。我要稱他為「衝經濟」的「平民英雄」。

- 別人衝政治，他衝經濟；別人做權貴，他做平民。
- 「衝經濟」就是貨出得去，人進得來，高雄發大財。
- 他的言行、衣著、語言，散布著「平民英雄」的特質：正直、擔當、勤奮、誠信、包容。
- 他是以「愛」與「包容」，在南台灣打敗了「恨」與「權勢」
- 一個人，一身膽識，一貫熱情，一瓶礦泉水，一個美好的家庭，一串生動的語言，走遍台灣南北，捲起千層浪。
- 他的勝利，不是他的黨籍，不是大老的站台，不是金主的贊助。
- 他用最大的力氣告訴選民：「台灣不能再分藍綠」。
- 他最著急的是馬上要改善小市民、老百姓、中低階層、年輕世代、弱勢族群的收入、工作、生活，以及吸引外漂的人回家安居樂業。

在與陳其邁的辯論中，韓國瑜宣布：「貪，就關到死，不假釋。」地方政治中的清廉及共犯結構，一直是人民心中的大問號。如果國民黨在當選的十餘個縣市中，用蔡政府清算國民黨舊帳的手段來揭發「除弊」，哪有心力來創造機會「興利」？

三個連鎖效應

韓國瑜的學經歷很好（政大東亞研究所碩士，三屆立委，台北農產運銷公司總經理）。不做立委之後，馬英九總統主政八年，他有六年失業。在辯論中，顯出對推動市政有些陌生，但這無損於他要翻轉高雄的大企圖心與大藍圖。他不是公務員，他是大策劃的領導人。領導人應無私地找到一流人才，有共同願景，創造機會，一起打拚。

當前權勢、貪婪、謊言充斥的台灣，國會中不易找到誠信，公家機構中不易找到效率，企業總部中不易找到創新，台灣前進的動力在哪裡？

走到台灣的鄉鎮又老又窮，很多的角落張貼著出售轉讓，國際機場看不到很多外國旅客，國內外的投資與消費力道不足。這是一個缺乏經濟生氣的島嶼。

因此，韓國瑜在高雄找到了打動人心的口號：「讓台北拚政治，我們拚經濟。」

韓國瑜的勝利，已經產生了三個連鎖效應：

(1) 教訓了兩黨運作：重民生，輕鬥爭；放下權貴與悲情，走向改革與重生。

(2) 穩定了兩岸關係：「九二共識，一中各表」再出發。

(3) 拯救了兩代生活：改善年長一代與年輕一代的生活。

韓國瑜說得好：「因為有九二共識，我們心中沒有任何圍牆，全部都是道路，條條大路通發財，條條道路通賺錢。」

扭轉民主頹勢

一九八〇年代末，台灣在浩浩蕩蕩的民主潮流中，沒有政變與流血，贏得華人世界第一個走向民主國家的讚譽。

令人惋惜的是：除了「投票」的民主，其他配套欠缺，造成民主根基未堅，民主傳統未建。在選舉中，以仇恨、對立、內鬥來贏取選票聲，「民粹」乘勢而起，「政治正確」替代了理性決策。

當國民黨在立院受到杯葛，議事癱瘓；當民進黨執政時，靠投票變成了合法的「一黨治國」。

隨著高雄市長的勝選，韓國瑜的魅力與人民對他的期待，已從高雄出發。如果能成功地輻射到全台灣、大陸及華人社會，那麼他的成功，就是台灣人、中國人、華人的共同驕傲。

任重道遠，毋忘初心。

二〇一八年十二月

24

民心在翻轉，政治人物要換腦袋

學與思

- 面對「民意如流水」的台灣，對政黨的忠誠度已在消失中，政治人物不能再硬拗。每當看到一個政治人物退出政壇，我內心是暗暗地為他們高興。做對了一個「三贏」的決定：解放了自己，釋放了機會，增加了資源的流動。「放下」才是好的選擇。
- 政治人物應該以「民生」為重，不要再操弄民粹；唯有放下悲情與兩岸對抗，才能走向開放與兩岸交流。

張作錦的「民主焦慮」

要做歐美社會的政治領袖，必須要告訴選民如何應對當前二十一世紀的三大挑戰：科技衝擊、氣候變遷、核武威脅。川普以保護主義、退出巴黎氣候協定、北韓金正恩核武談判為對策。

在全球注視的美中貿易對抗中，「修昔底德陷阱（Thucydides' Trap）」預言「兩強爭霸終必一戰」的可能，變成了顯學。二千五百年前希臘歷史學者修昔底德以「陷阱」敘述雅典崛起，使斯巴達產生恐懼，戰爭終於無法避免，毀滅了二個城邦。

哈佛大學教授艾利森（Graham Allison）在《注定一戰？中美能否避免修昔底德陷阱》（八旗文化，二〇一八）中指出：當一個崛起的強權（中國），威脅到另一個已有的強權（美國）時，除非北京調整它的權力擴張，或華盛頓願意與中國共享太平洋霸權，一場戰爭爆發的可能性，比專家願意承認的要高。

遠在太平洋這邊二千三百萬人民的台灣，經歷了三十多年的民主洗禮，近年來卻陷入了資深媒體人張作錦所寫《誰說民主不亡國》（天下文化，二〇一五）

的焦慮。

細讀張作錦書中的論述如：⑴台灣，成於民主，敗於民主？⑵政客收買選票，百姓零售國家？⑶台灣只能是「短暫的富裕」？⑷自由而無秩序，終將失去自由？⑸獅，醒了；龍，怎樣了？每一篇論述使讀者驚覺民主這塊金字招牌背後的脆弱與風險。

這本書名也可理解成：「台灣能跳出民主陷阱？」或「誰說民粹不亡國？」此刻或可用一句話概括：台灣三十年民主政治實施的結果是：民粹還在四處燃燒，民生則持續凋萎。

在這「民主陷阱」中，韓國瑜在高雄選舉的勝出，出現了台灣人民投票行為的大翻轉。再綠的高雄選民選擇了要過「好日子」，不要再「搞政治」。因此對民進黨政府輸掉十五個縣市的最大教訓是：重民生，輕民粹；放下悲情與兩岸對抗，走向開放與兩岸交流。

「務實新世代」崛起

《遠見雜誌》於一月下旬對「務實新世代」再進一步做了調查（見本期專題

報導）。十八～三十九歲民眾在回答「您最關心哪一項公共議題」時，十二項議題中，複選最高的五項依次為：民生與經濟（三七．六％）、教育（三二％）、食安（三二％）、勞工權益（二六％）、醫療（二一％）；最低的五項是兩岸關係（一七％）、國際局勢（一四％）、司法改革（一二％）、能源政策（一一％）、住宅（九％）。當前的民意再度告訴法政背景的政治人物：一定要有能力處理民眾關心的民生經濟。

國家、社會、企業是需要永續發展，但是有權力的人，絕不可以在位置上「永續經營」。權力使人腐化、傲慢、貪婪、自私；幸虧政治上有「選舉連任」的限制，新聞媒體的監督，以及知識份子善意的忠告。政治人物第二任的表現，通常會比第一任差，甚至身敗名裂；當「貪婪」在第二任中發酵時，就更容易從自己的權力及安排的人事中，獲得各種龐大利益。

韓國瑜開創了一個「冷」民粹、「熱」民生的韓式思維。在「九二共識、一中各表」及中華民國國旗飄揚下，接地氣的他就是一心一意要讓人民過好日子，戳破政客們虛情假意地操弄統獨及兩岸。

政治人物要「放下」

做為中間選民的作者，誠懇地呼籲國民黨與民進黨政治領袖首先冷靜地走出同溫層，認清在瞬息萬變的數位時代，「未來」不追隨「過時」的英雄。愈有歷練的政治人物，愈要有勇氣認清：夕陽已經西下，群眾已經遠離，市場已經消失，掌聲已經屬於別人。

有些政治人物，一旦有權有位（不論中央或地方，民代與官派董事）就絕不放棄，並且用盡方法戀棧。另有些偏激的政治人物，還要不斷地興風作浪；使得全體人民因此負擔了太多內鬥與偏見的社會成本。幸振甫先生有一句寓意深長的話：「下台的背影要優雅！」

輸了選舉的，要爭取下一次；任期已滿不能再選的，就另闢戰場；這些人物所爭者不是政策與政績，而是人脈與金脈。

面對「民意如流水」的台灣，對政黨的忠誠度已在消失中，政治人物不能再硬拗。人生，除了政治權力，還有太多值得做的事，以及太多不值得做的事。

每當看到一個政治人物退出政壇，我內心是暗暗地為他們高興。當然不是幸災樂禍，而是覺得做對了一個「三贏」的決定——解放了自己，釋放了機會，增加了資源的流動。

面對選舉，「變」是唯一的不變；還在位置上的，要維持自己的政治生命，趕快換腦袋——接地氣、懂民生、和兩岸。

另一個選擇：見「好」就收；見「壞」更要收。你會發現：「放下」才是最好的選擇。

二〇一九年三月

25

執政者已愈來愈遠離民心

——《遠見》最新民調的春節寒流

學與思

- 有六成以上的民眾對下一代生活感到「悲觀」，為什麼？
- 對於只會說空話、畫大餅、拉關係、操作對立、激化對岸的政客，我們應該善用選票，讓不適任的政客下架。

美國總統川普執政剛過週年（一月二十日），《華盛頓郵報》與《ABC新聞》民調，顯示他只獲得美國人民三七%的支持率，創下了美國總統七十年以來歷史最低記錄。

《紐約時報》佛里曼的評論是：面對這樣一位沒有執政能力的白宮主人，不得不天天要批評他，但天天這樣做，自己就不會長進。

川普的困境來自政策引起的爭議太多，失言太多，執政經驗和反省能力都缺乏。

二〇一八年蔡總統的低盪民調

民主社會中的總統，陷入執政困境像烽火一樣，四處竄起。二〇一八年從歐美的川普、英國梅伊首相、德國梅克爾總理到日本的安倍首相以及台灣的蔡總統都是。

在《遠見》雜誌的「台灣民心動向大調查」（樣本一〇二二人，誤差正負三%，一月二十四～二十八日調查）中，有幾個令人憂心的發現。

(1) 蔡總統當前的整體表現：

- 「不滿意度」六四・三%(上任百日三六・二%)
- 「滿意度」二五・八%(上任百日四四・四%)

台灣的「滿意度」與「支持率」(Approval Rate)在解釋上不盡相同,但很接近。如果川普知道小英總統的數字比他更低,或許會接到他鼓勵及安慰的電話(以他難測的衝動,誰敢說不可能?)

(2) **為蔡總統及執政團隊的治國能力打分:**(一~一〇〇分,六〇分為及格):

- 民眾回答的平均分數竟是不及格的五四・一分。

面對這樣低的分數,內閣會在春節前後改組,正是媒體合理的推測。改組的關鍵是新任首長要真有能力改善人民的生活,以及解決工商界面對的問題。只會說空話、畫大餅、拉關係、操作對立、激化對岸的那些政客們,應當立刻要他們在政治舞台上消失。

(3) **下一代整體生活會比我們現在還要好?**

- 民眾對下一代生活感到「悲觀的」為六六・三%;
- 感到「樂觀的」為二四・八%。

(4) **如有機會,希望去哪些地區發展?**(包括投資、工作、求學)

- 四四・三%的民眾表示想赴外發展，五五・七%不想。
- 十八~二十九歲願意去中國大陸地區發展為最高（五三%），願意去新南向國家（如越南一三・八%、泰國一一・四%）較去年下降。

近年台灣，早已失去二十年前的意氣奮發。此刻因為國內環境差，要向外發展，已不是當年充滿旺盛的生命力，要開疆闢土地創一番事業。

兩岸關係中：「獨立」新低、「統一」新高

根據《遠見》對統獨立場的追蹤，十年來有相當起伏。最新調查指出：

- 二一・一%「贊成台灣獨立」，為近十年新低。二〇〇八年《遠見》調查時為二八・二%，太陽花學運之前為二四・九%。二〇一四年九月調查，「贊成台灣獨立」三二・一%，為近十年最高。
- 一四・八%「贊成與大陸統一」，這一數字為近十年來新高。
- 三八・六%認為「先維持現狀再看」；一七・〇%「永遠維持現狀」。

大體來說，二成一的民眾贊成獨立，一成五贊成統一，其餘則要維持現狀。

從這次統獨傾向的微妙升降，似乎在顯示：務實的台灣人民已在反映一些務

實的轉變。民意如流水，政治工作者不得不密切關心它的發展。

台灣人民怎麼辦？

二〇一八年初，全球經濟預測會出現溫和成長；不幸的台灣，除了外銷尚有一些力道，其餘則不知走向何方？民間憂慮的各種短缺，不僅依然存在，更在擴大：缺地、缺電、缺水、缺人才、缺投資、缺法治、缺紀律、缺共識……。換一個方式說：當前的工資還是太低，房價還是太高，落伍法令的鬆綁、新法令的制定都太慢。另一方面，政治人物陷於政令宣導樂此不疲，名嘴口水橫飛日以繼夜。台灣的天空很希臘（不是指藍天，是指經濟困境），台灣街頭的人氣很低迷，台灣最美麗風景的「人」已開始外移了。

怎麼辦？在今後的總統大選中，面對民主與民粹的糾結，選民必須每四年，要冷靜而理性地，選出一位儉樸、廉能、有遠見、有愛心的總統。

二〇一八年二月

26

看到躍進的上海就為台北愁

學與思

- 四十年來鄧小平經濟政策的開放，讓大陸成為界第二大經濟體，如今的上來名列全球頂級城市、全球第二大期貨交易中心、亞洲最大的郵輪港口城市、全國幸福旅遊城市等，台北腹地小、人口少、投資弱、消費低，更應全力創造新工作、新建設、新遠景。
- 儘管台北市的競爭力在衰退，台北人所擁有的最大資產應當得到肯定：那就是人的品質及氣質：守秩序、公德心、使命感以及永不認輸。

兩個城市都是家鄉

記得魯迅寫過：「我到過的地方，都是我的家鄉。」他辛辣的筆尖，卻寫下了最人道的解釋。自己的歲月，剛好一半在大中華的上海與台北，一半在美國的大學城。這樣說來，我就有三個家鄉：上海、台北、與威州的河城。

來去台北與上海，只需九十分鐘航程，比坐高鐵去高雄還快。一九四九年離開國共內戰中的上海：最記得的是當時社會的混亂與人心惶惶。三十九年後（一九八八年）第一次從美國回到上海，依舊破落。住在和平飯店，打電話回美國要二十分鐘才接通，旅館內沒有咖啡廳，真有「相見不如不見」的傷感。幸虧去了復旦及交大演講，看到了蓄勢待發的年輕一代；更幸運的是，認識了汪道涵先生，在三個多小時的交談中，這位長者娓娓道來中國改革開放的藍圖與上海的未來發展。此後去上海，都會向他請益。

四十年來鄧小平經濟政策的開放，帶來了人類歷史上是罕見的成就；大陸已變成世界第二大經濟體。如果把二千五百萬人口的大上海看成單獨經濟體，當前世界GDP數值排名中，美國與大陸分列一、二名，台灣二十六名，上海三十一名，超越了新加坡與香港。

我怎麼也不會想到青少年住過的台北與上海會變成姊妹市。二〇一〇年舉辦第一次「雙城論壇」的開場致詞中，面對在座的二位市長郝龍斌與韓正（現為中共中央政治局常委），我興奮地說：

台北與上海一峽之隔，歷史上共有精英的聚集、商業的興起、國外的思潮、文化的激盪、及開放的引導。

台北小而巧，呈顯生活上的細緻、安全、舒適；上海大而新，展現出令人嚮往的魅力、驚豔與機會。

當台北遇上上海，政府的企圖心加上民間的想像力，就會出現各種交集的火花。

上海的「知識跨年晚會」

近日去上海參加來自台灣的詹益森、張簡珍夫婦興建的「上海金山假日酒店」開幕典禮，冠蓋雲集；相鄰的另一座新大樓，近月就要推出文創項目，打造文化新地標；兩位律師博士變成了有社會責任的企業家。

如果五十萬以上在上海發展的台商，部分回到台北投資經營，該是何等熱鬧景象！關鍵是：台北有這樣的吸引力嗎？

上海不斷擁有世界紀錄：全球頂級城市、全球第二大期貨交易中心、亞洲最大的郵輪港口城市、世界最長里程的地鐵、全國金融中心、全國幸福旅遊城市等。

這次在上海，參觀了剛開幕的全球最大的星巴克烘焙工場。專門設計的二層樓展示了咖啡烘焙過程，外面寒風中在排著長龍，裡面人山人海，上海人對咖啡竟是這樣地著迷！

更使人難以置信的是，上海最盛大的跨年晚會（十二月三十一日）不是演唱會，竟是提倡「知識付費」的羅振宇四小時的跨年演講。浦東可容納萬人的會場爆滿，門票價格三千～一萬六千台幣不等。據說這場知識性演講，包括延伸收入，高達二億新台幣左右。上海人對學習竟也是這樣地著迷！

肯定台北人的品質

進步慢的城市就是落後。台北市腹地小、人口少、投資弱、消費低。既有這樣的限制，市政推展上，有限的精力不要用在算舊帳上，而要全力創造新工作、新建設、新遠景。市政的進步來自團隊的合作與效率，要結合企業與民眾共同打造；市民生活上的小方便，只是個起步；現代化的大都市，定要展現文明的多姿多彩及歷史光輝；台北離這種格局何其遙遠。

說「空話」帶來的就是「空城」。空空蕩蕩的台北街頭，見不到人潮，也不容易遇到各色人種的觀光客及外國話！走出松山機場，迎面而來的就是一片茫、一團悶。只要兩岸關係仍然冷冰冰的僵持，台北也就難以匯聚朝氣與人氣。

「鄉愁」對我來說，已不再是對上海的「念」，而是對台北的「愁」。儘管台北市的競爭力在衰退，台北人所擁有的最大資產應當得到肯定：那就是人的品質及氣質：守秩序、公德心、使命感以及永不認輸。

二〇一八年一月

27

人文閱讀·生活美學·文明播種

——「遠見人文生活」在上海金山誕生

學與思

- 上海的硬體建設成就固然驚人，市民品質還需要快速提升，「遠見人文生活」在上海金山開幕，期能移植經驗，盡一些心力。
- 一杯手調的上品咖啡，可以誘發生命的潛力；一系列的演講、論壇、策展能引起心靈的共鳴；一整段時間的閱讀、沉思、靜慮的激盪，則潛移默化地埋下了文明的種子。

「遠見」走向上海金山

自己生於南京，長於上海。一九四九年離開上海時十三歲，就讀於復旦初中。十年後在台灣讀完大學去美國讀書。那個年代的台灣與大陸同屬落後地區。半世紀後的台北展現了華人世界中的軟實力，上海則登上國際舞台變成耀眼的新星。此刻自己何其幸運，在二個小時內可以往返我心目中的兩個家鄉。我是上海人、我是台北人；我更是中國人。

面對快速進步的大上海，一位紐約客竟然會說：「上海使紐約變成第三世界。」如果總評上海：硬體建設成就驚人，市民品質還需要快速提升。提升過程中，被譽為華人世界傳播進步觀念的「遠見．天下文化事業群」在台北已成立了三十五年，我們想盡一些心力，移植一些經驗。今年五月「遠見人文生活」已在上海金山開幕，並於五月十九日舉辦第一屆兩岸文化高峰論壇，朱銘、白先勇、余秋雨、周功鑫、姚仁祿等多位大師級人物均出席演講，場面熱烈溫馨。

從台北「人文空間」到金山「遠見人文生活」

回想起十八年前（二〇〇〇年）六月，在台北松江路九十三巷，出現了一小座書城與一小方淨土，這裡有自由閱讀的沉澱，相互交集的火花，沉靜思慮的書寫；這裡也變成了成長、學習、演講的一個聚落。漢寶德、齊邦媛、孫震、洪蘭、及美國學者傅高義、康納曼（Daniel Kahneman）、奈思比（John Naisbitt）等均在那裡發表過演講。這就是來到台北大家熟悉的「人文空間」。

從台北到金山，選擇的緣分是來自我們的好友詹益森及張簡珍二位博士夫婦。他們剛於金山落成了在上海興建的第二個大酒店——金山假日大酒店。在他們的精緻規劃中，「遠見人文生活」可以優雅自在地在這裡萌芽茁壯。

金山可以沒有迷人的夜總會，但不能沒有精緻的人文空間。透過台北姚仁祿大師的創意設計，踏進金山的「遠見人文生活」，立刻可以感受到：

- 一排書櫃比一排酒櫃更醉人。
- 一牆書比一壁精品更動人。

- 一杯手調的上品咖啡，誘發了生命的潛力。
- 一系列的演講、論壇、策展……，引起了心靈的共鳴。
- 一整段時間的閱讀、沉思、靜慮的激盪，潛移默化地埋下了文明的種子。

七十年前，從上海坐船到台北，充滿了戰火下的徬徨；七十年後，從台北飛回上海。白先勇寫過「寂寞的十七歲」，此刻是否自己在寫「激動的七十歲」？

幸有二百多位「遠見．天下文化事業群」工作伙伴們的專業與熱情投入做後盾。二〇一八年的春天，「遠見人文生活」（Books, Talks, and Beyond），在金山跨出第一步。

二〇一八年六月

28

追求「死之尊嚴」

——瓊瑤以「生之愛情」提倡善終權

學與思

- 患者的「善終權」必須得到重視！因為這是「生命中不可承受之重」。
- 「活得有尊嚴的生活」，有哪些要素？
- 十年未醒的沈君山教授終於走了，他擁有「生之愛情」，卻少了些許「死之尊嚴」。

生命中不可承受之重

二十八年前（一九八九年），天下文化出版了我的一本書：《追求活的尊嚴》。自序中的最後幾句話是：

有品質的生活、有保障的生活、有選擇的生活，才是活得有尊嚴的生活。

八月出版的瓊瑤新著《雪花飄落之前》，使我驚覺到，最後一句話不夠周延，應當要包括「死得有尊嚴的生活」。

瓊瑤自己可能沒有想到，被認為最受歡迎的青春愛情作家，會在此刻變成了傳播人生「善終權」的提倡者。摘引她描述她與丈夫平鑫濤用情至深的二段話：

當你最愛的人，生命將盡時……不是用各種管線，強留他的軀體，讓他為你那自私的不捨，拖著逐漸變形的軀殼，躺在床上苟延殘喘！

一字字用血淚寫出的「真實」，能夠喚醒很多沉睡的人們！能夠療癒有同樣苦楚的心！還能提醒醫療界，重視「加工活著」這件事！重視患者的「善終權」！這是「生命中不可承受之重」。

十年未醒的沈教授

當瓊瑤在痛苦的提倡「善終權」時，我立刻就想到最有力、也是最不忍的例證，就是前清華大學校長沈君山，正好也是瓊瑤半世紀以來無所不談的好友。

二〇〇七年七月沈教授三度中風，手術清除血塊後，至今未醒，就靠插管維持生命，已整整十年。每次與幾位好友去探望，他就是無意識的躺著，沒有奇蹟發生。

在三度中風前的二〇〇五年九月，君山在聯副文章中指出：經過了二次中風，已草擬了一份「生命遺囑」：

(1)此傷害使本人陷入長期痛苦，而無法正常生活之狀態。

(2)此狀態將無法復原。

(3)維持延續生命對家人及社會造成沉重之負擔。本人希望以積極方式有尊嚴的走完人生。

他自己更寫過：「打了折扣甚至沒有生活的生命是不值得活的。」

沒想到儘管已有了「生命遺囑」，但要不要插管時，君山的家人（包括來自大陸與美國的）意見紛歧，出現了曾聽過的「天邊孝子症候群」。十年來，這位熱愛生命的才子一直沉睡。二〇一五年元月，馬總統再赴清大探望，面對無法言語的老友，馬總統贈送了國旗圍巾。沈校長最大的遺憾應當是：好友做了七年總統，竟然一無所知。這使得十年前不同意插管身邊最親的人，只能無語問蒼天：活的尊嚴在哪裡？

瓊瑤親自經歷了她丈夫的病痛與插管，給兒子和兒媳的信中寫著：「你們不論多麼不捨，不論面對什麼壓力，都不能勉強留住我的軀殼，讓我變成『求生不得、求死不能』的臥床老人。那樣，你們才是『大不孝』！」

二位有才情的學者與作家，對安排死亡的看法是如此「瀟灑」地相似。

「新」獨立宣言的「第六階段」

一年前我開始提倡「新」獨立宣言，以退休年齡的身分宣布「人人必須尋求自己的經濟獨立」。宣言中有五個階段論，讀了瓊瑤新著增加了「第六階段」：

第一階段：求學階段，自己功課自己做。
第二階段：踏入社會，自己工作自己找。
第三階段：建立家庭，自己幸福自己建。
第四階段：事業奮鬥，自己舞台自己創。
第五階段：夕陽餘暉，自己晚年自己顧。
第六階段：告別人間，自己善終自己定。

如果提出「善終權」的瓊瑤，能像她的小說那樣地橫掃千軍，推廣實現，那麼社會也許會出現美滿的人生：生之愛情與死之尊嚴。

二〇一七年八月

29 長者的晚年自己顧，年輕人更要靠自己

學與思

- 台灣逐漸進入高齡化社會，「新」獨立主義提醒我們可以做哪些事？
- 我們是幸運與幸福的一代，因為命運就掌握在我們自己的手裡。
- 如果你抱怨找不到工作，請記住：在這個資訊超載的年代，唯一不輸的法則就是——比別人學習得更快，自己比別人的自我要求更嚴厲。

幼少年時在江南及台北，經歷了中日抗戰及國民政府的撤退，但動亂中從未輟學。大學畢業後能去美修習經濟發展，更是一生的機遇。此後得以在美國校園沉浸教研四十年；近二十年回到台北。儘管這裡的兩岸大氣候時有變化，但持續傳播觀念，渾然不知老之將至。

「新」獨立主義

近日讀到余秋雨先生新著《泥步修行》自序中的第一句話：「不知不覺間，我已經老了。」對年逾八十的我，豈止是當頭棒喝？但我必須誠實地說：秋雨的話使我驚覺自己的年歲，但完全沒有驚慌失措的感覺；更何況在書中秋雨寫出了令人嚮往的晚年。見過大風大浪、上天入地的人生經歷，秋雨與妻子馬蘭正過著「老年如詩般的年代」。

台灣步入高齡化社會，近年我提倡「新」獨立主義，或可做一個遙遠的呼應：

(1) 求學階段：自己功課自己做。
(2) 踏入社會：自己工作自己找。
(3) 建立家庭：自己幸福自己建。

(4)事業奮鬥：自己舞台自己創。
(5)夕陽餘暉：自己晚年自己顧。
(6)告別人間：自己善終自己定。

誰決定年輕人的前途？

一九六一年一月，聽到甘迺迪總統就職典禮中的「別問國家能為你做什麼，問你自己能為國家做什麼？」對當時二十三歲台灣留學生的我來說，上了公民的第一課：美國總統告訴選民，不要想國家為你服務，而要想你為國家服務。自此這位外國學生更下定決心：儘管美國遍地有機會，一切還是要靠自己，不能靠政府。

那麼誰決定年輕人的前途？答案是肯定而簡單：你自己。這是一個多麼乾淨的、乾脆的、自尊的、自信的答案。

你掌握了你自己的命運。自己的一切，就要靠自己好好讀書、好好做事、好好做人。在那種大環境的磨練下，這些留學生回到台灣，一波又一波帶動了學術研究、投資創業、政治參與、推動民主等浪潮。

如果我還是年輕人，我會有清晰的目標和堅定的決心，我會告訴自己：我們真是幸運與幸福的一代，已不再有老一輩那個年代的艱困、閉塞、限制、禁忌。

我也會要求自己：「Join the World」（融入世界），不論出去留學、遊學或旅行、工作，在這個「世界是平的」潮流中，必須要經過一段人生歷練。

自己的前途，不需要政府插手，而是靠自己的獨立思維、本領、熱情、品格以及企圖心。二〇一一年二位諾貝爾獎得主戴蒙（Larry Diamond）、皮薩里德斯（Christopher A. Pissarides）（失業與就業是他們得獎的專門領域）來台演講，我和他們討論時問到：「如果年輕人找不到工作，是自己還是政府的責任？」他們不假思索地一致回答：「當然是年輕人自己。」

前哈佛大學校長桑默斯說過：「年輕一代不是去『尋找』工作，而要有本領『創造』工作。」

如果你抱怨找不到工作，請你記住：在這個資訊超載的年代，唯一不輸的法則就是——自己比別人學習得更快，自己比別人的自我要求更嚴厲。

二〇一八年四月

30

韓國瑜解脫了高雄人的「情緒勒索」
——外漂哈佛人解讀

學與思

- 在民主政治中，有些政客會利用「情緒勒索」來左右民眾的投票，大家也有這樣的經驗嗎？該如何掙脫這種情緒勒索？
- 唯有「走出去」的奮發上進心態，才能改變台灣年輕一代的膽怯與沉悶。

十二月三日「遠見華人精英論壇」刊出了一篇精闢的文章：〈韓國瑜掙脫了情緒勒索〉，不到四天，瀏覽數已超過三萬五千次，讚已超過七千個。這位作者是誰？

摘錄她寫的幾段文字：

公元兩千年八月，我離開高雄。那一年，陳水扁高票當選總統。也是那一年，我從高雄謝長廷市長手中接過國中畢業獎狀，兩個月後出國讀書永遠離家。

十幾年過去了，我從一個懵懂無知的孩子，蛻變為一個專職的世界旁觀者。我長大了，但是我的故鄉卻停滯不前。

這次選舉，從海外觀察，非常驚訝。我那個記憶中綠營鐵票倉的故鄉高雄，竟然有人揮舞著青天白日滿地紅的國旗；我的故鄉高雄，從不被重視，我那個經濟不斷衰退的故鄉高雄，竟然來了一個不見經傳的黑馬人物，不自量力選市長，結果還高票當選。

誰是韓國瑜？用鮮明的口號「高雄發大財」，類似川普英文的Make

America Great Again! 韓國瑜最讓我佩服的，應該是他的高情商，一眼看穿高雄人的盲點：情緒勒索。

心理學家蘇珊・佛沃（Susan Forward）提出的《情緒勒索》一書（Emotional Blackmail）就是探討如何解決身邊人用FOG（Fear, Obligation, Guilt，意即恐懼，義務和罪惡感）來要求你，控制你的所作所為。

這二、三十年來，高雄不斷上演情緒勒索的戲碼：

——高雄人民如果表達不滿意，執政者就施加心理壓力：高雄是我們的家園，做有骨氣的台灣囝等等。

——如果市民依然理性反駁，再繼續威脅：

(1)不選我就是不愛台灣，一九七九的美麗島事件等忘記了嗎？（Guilt使人民產生罪惡感）

(2)中共滲透無所不在，不害怕嗎？（Fear使人民產生恐懼）

(3)反對我，就代表不認同，不守護，不愛惜台灣的民主？（Obligation使人民產生義務服從感）

執政者這一齣戲上演了二三十年，樂此不疲。但是韓國瑜裂解了情緒勒索的環扣：我沒有糟蹋高雄；沒有不愛台灣；沒有不認同台灣民主，但是人民不需要鬥爭。

韓國瑜新建了情緒界限（boundaries），翻轉了高雄人二十年來陷入情緒勒索的困境，這才是他這次勝選的關鍵。

這位在海外的「世界旁觀者」是誰？十五歲離開高雄，此刻寫下了用心理學架構分析的短文。我認識這位作者，寫過短文介紹過她。

從高雄走向哈佛的女孩

一位十五歲高雄新興國中女生，以二屆全國大提琴冠軍的成績，獲得赴美讀高中的獎學金。然後又以獎學金進哈佛讀完大學，再進入茱莉亞獲得音樂碩士，她十年內為自己開拓了一片燦爛的演奏天空。

十年前（二〇〇八年六月）的一個晚上，哈佛校園舉行三五七屆畢業典禮。其中有一個重要的音樂節目。

燈光漸暗，瞬間鴉雀無聲，一位修長優雅的東方女孩在眾目注視下展開了大提琴的演奏。

她就是尤虹文（Mimi Yu）——經濟系的應屆優等畢業生，更是多次獲得國際大獎的年輕大提琴音樂家。她來自高雄，她的雙親第一次從高雄來到哈佛，坐在包廂貴賓席。他們難以置信地遠遠地注視著這個八年前離家的國中女兒，此刻正在隆重典禮中，獨自做出色的演出。

對虹文講，一切的榮耀歸於父母，「我的家永遠在高雄」。

這是一個來自高雄中產家庭的自我奮鬥故事，只有這種「走出去」的奮發上進，才能改變台灣年輕一代的膽怯與沉悶。

（可參閱尤虹文二本著作：《為夢想單飛》、《哈佛教我的十八堂人生必修課》，天下文化）

二〇一八年十二月

31

誰能主導台灣的繁榮與和平？

——經濟人和社會人多承擔

學與思

- 放下悲情與兩岸對抗，走向開放與兩岸交流。台灣要在台中美三角關係中做和平與緩衝的角色，不能變成美國的馬前卒。
- 讓我們期盼：選出的總統要擁有「經濟人」冷靜的腦，「社會人」溫暖的心，以及與生俱來的「中華情」。

繁榮與和平

台灣必須要面對時隱時現的「經濟─民粹─兩岸」危機，不論哪一個黨執政，都必須要拿出繁榮與和平的對策。一個「中等」所得國家，延誤了二十年無法進入「高」所得，是政府與人民共同的罪過。一個馬英九時代穩定的兩岸關係，此刻變成要增購三千多億買武器自衛，是不可思議的進行式。

在當前持續的中美貿易戰中，民進黨政府不斷加強抗中反中力道，台灣必須要應對因此而帶來的「黑天鵝」（極不可能但可能發生的事件）與「灰犀牛」（一種可能產生悲劇的警告）效應。

回到經濟面，造成台灣經濟動能衰退的四個因素，一如車之四輪：民間消費不振、投資萎縮、政府支出疲弱、出口乏力。

埋下這個種子有二個關鍵因素。一是一九九〇年代中期李登輝的戒急用忍，阻擋了大陸經濟起飛中，台灣失去了水漲船高的黃金機會。另一個是三十年來民主這個制度，就如在歐美國家一樣，已無法有效治理一個中產階級停滯、貧富差距存在、合適工作機會難找、意識型態當道、利益團體偏執、民粹與網軍竄起的分裂社會。

此一現象也助長了三位民選總統執政下，行政院長的快速折損。在陳馬的總統任內，各換了六位，前有唐飛、張俊雄、游錫堃、謝長廷、蘇貞昌、張俊雄（再任）；後有劉兆玄、吳敦義、陳冲、江宜樺、毛治國、張善政。蔡總統任內三年也已換了三位行政院長：林全、賴清德、蘇貞昌。平均一年半的任期，怎能產生偉大的政績？

郭韓的速度與氣度

因此台灣三十年民主政治實施的景象是：民粹不斷在燃燒，年輕一代的生活在力爭上游中陷入困境。二〇一八年九合一選舉中，出現了民意的大翻轉。對民進黨政府輸掉十五個縣市的最大教訓是：不能不重視民生，不能再依靠民粹。一條政策不同的路線是：放下悲情與兩岸對抗，走向開放與兩岸交流。台灣要在台中美三角關係中做和平與緩衝的角色，不能變成美國的馬前卒。

當今台灣人民對政黨不再固守任何一方，每當有強烈意識型態的政治人物退出政壇，我都抱持肯定的態度，他們做出正確的決定，這不但有助他們解放自己，也促進了新思維人才的冒出。

這也提醒我們，還在高位上的政治人，若要維持自己的政治生命，趕快從「政治人」變成「經濟人」與「社會人」。

「經濟人」追求的是經濟效率與民間財富。

「社會人」追求的是社會進步、多元與公平。

一九五〇年代，台灣努力擺脫貧窮與落後，強調了「經濟人」的重要。台塑的王永慶就是一個典型的代表。透過民間企業興起，就業增加，工資提升，財富累積。

進入一九八〇年代，社會趨向小康，「社會人」的主張得到重視，全民才能逐漸分享到經濟紅利。

二〇二〇總統大選已經啟動。爭取國民黨總統候選人提名的郭台銘，是跨國大企業家，大聲地宣稱：「我是經濟人，不是政治人。」高雄市長韓國瑜則是要農工商一起「發大財」的社會人。

一張川普照，產生百般聯想；一瓶礦泉水，捲起千層浪。

政治人物常缺：速度與氣度，但在郭韓二位身上，看到了追求效率的速度與勇敢承擔的氣度。

讓我們期盼：選出的總統要擁有「經濟人」冷靜的腦，「社會人」溫暖的心，以及與生俱來的「中華情」。

有冷靜的腦，就不會做反理性的決策——如增加戰爭風險；有溫暖的心，就能建立一個祥和社會，尤其改善中低階層的生活；有中華情，就會自信地展開兩岸政策上的開放、交流、雙贏。

二〇一九年五月

第三部

學習重要人物的思維與實踐

西方學者常認為：一個時代的歷史，是由一些革命家、思想家、政治人物及追隨者與反對者，以血、淚、汗所共同塑造的。

百年來中國人的歷史，正就徘徊在絕望與希望之中，毀滅與重生之中，失敗與成功之中。

以傳播進步觀念為己任的「天下文化」，自一九八二年以來，先後出版了各種當代人物的重要著作，這些人士都是廣義的英雄，他們或有英雄的志業、或有英雄的功績、或有英雄的失落。從思想家、政治人物、公眾知識份子、企業家到專家學者等，除了留下歷史的見證，更透過他們的思索和經歷軌跡，影響著整個世代，引領我們走向更好的未來。

32

蔣經國

在知所變與不變中，勇敢地積極革新

學與思

- 一九四九年國民政府遷台後，前後曾經歷了七位總統，二〇一八年在經國先生辭世三十週年之際，在多項媒體調查中，經國先生都獲得第一，為何他能歷史留名？
- 當近年全球經濟陷入「新平庸」年代時，重溫經國先生主政十八年在經濟上出色成績，我們可以學習到什麼？
- 經國先生當選一九八七年「遠見人物」，當時的《遠見》總編輯王力行，在國內媒體首次歷史性的專訪中看到了什麼？對照當今的政治環境，帶給大家什麼啟示？

經國先生三個民調都是第一

經國先生喜歡輕車簡服，東看西走，上山下海，探訪民隱。

- 走到市井小民的菜市場，感受到生活改善的迫切。
- 出現青年群眾的現場，警覺民主浪潮勢不可擋。
- 與各階層接觸交談時，體悟到民眾擁有蓄勢待發的生命力，及內心深處的要求。

這些要求包括了要有書讀、要有工作做、要交通方便、要有工廠可以開、要有意見可以自由表達、不能再有省籍歧視、不能再禁止組黨……。

經國先生審察時勢，以「今日不做，明日會後悔」的決心，在險局中逐步推動具體政策：經濟必須立刻起飛（如十大建設），政治禁忌必須儘早開放（如宣布解嚴、開放黨禁報禁、大陸探親），機會必須力求公平（如推動義務教育、任用本省青年才俊）。

正因為這些革新的政績，經國先生當選為一九八七年「遠見人物」。當時的《遠見》總編輯王力行，在國內媒體首次歷史性的專訪中指出：這位扭轉歷史方向的人，在積極革新的年代中，無私無我，為台灣經濟生機扎根，為台灣民主布展新局，為自己平實、平淡、平凡作風樹立政治人物標竿。

自從一九四九年國民政府遷台後，經歷了七位總統：蔣中正、嚴家淦、蔣經國、李登輝、陳水扁、馬英九、蔡英文。

《聯合報》於二〇〇七年十二月刊出「對台灣貢獻最大」的六位總統民調，名列前三名的是：⑴蔣經國五〇％；⑵李登輝一一％；⑶蔣介石六％。

《中國時報》於二〇一八年一月十二日刊出同樣問題的民調，前三名是：⑴蔣經國五三．三％；⑵李登輝一三．七％；⑶蔣介石九．六％。

調查相距近十一年，二報的排名次序一樣，但前三名的百分比都一起增加了三％左右。

《中國時報》同時還公布了歷任總統「誰最愛台灣」，前三名是：⑴蔣經國三二．八％；⑵李登輝十二．一％；⑶蔣介石一〇．三％。

經國先生去世（一九八八年一月十三日）剛過三十週年。經過人民的反思與時間的沉澱，三項民調，他都得第一。這麼多年來經國先生飽受醜化及汙名，能獲得這樣的高評價，當可含笑長眠。

大事用原則與魄力，小事有細心與愛心

當近年全球經濟陷入「新平庸」年代時，重溫經國先生主政十八年（一九六九～一九八七）的總體經濟指標（從行政院副院長兼經合會主委到擔任總統），那真是台灣經濟起飛的黃金時代：

- 平均經濟成長率九．〇％。
- 每人所得上升近十九倍。
- 平均失業率一．七％。
- 平均出口成長率二六％。
- 平均工業生產成長率一二．二％。

在那年代，自己在美國執教，暑假常回來追隨李國鼎先生做政策研究，有感而發地提倡「天下哪有白吃的午餐」與「決策錯誤比貪汙更可怕」二個觀念。前者指出：政府應逐漸減少保護津貼的心態，發揮人民與企業優勝劣敗的生命力；後者指出：「廉潔重要，決策正確更為重要。」

緬懷經國先生是消極的；向他學習是積極的。讓我引述追隨他十六年的總

統府副祕書長張祖詒先生的貼身觀察及分析。在他專著《蔣經國晚年身影》（天下文化，二〇〇九）一書的卷首語中，就指出：「書中所述句句真實，沒有假話。」從這本第一手解讀中，我們可以清晰地理解那個年代經國先生的治國理念、施政作為、行事風格、品節操持、個性傾向、生活點滴、甚至內心世界。

我把書中的分析，歸納二大類

第一類是治國的大方針與原則——

- 任何改革必然循序漸進，謀定而後動。
- 推動改革，不怕得罪保守勢力的大老。
- 澄清吏治，整肅貪瀆，不惜開鍘顯貴。
- 為了深愛台灣，必須忍辱負重。
- 「今日不做，明日會後悔」。

第二類是領袖的擔當與態度——

- 有改過的勇氣，從不諉過卸責。

• 以理性平和的態度，讓人心悅誠服。
• 偶有不悅，絕不意氣用事。
• 生活儉樸，大公無私。食衣住行，簡單為上。
• 存善念，不說假話，唯民眾之利是圖。

西方學者常認為，每一時代的歷史，都是那一代的英雄所寫的。年輕時追隨他多年的前總統馬英九，近日在三十週年紀念會上也分析經國先生的四大貢獻：完成十大建設、解除戒嚴、開放大陸探親、廉潔政風。

歸納起來，他在施政上有三個重要的優先次序：

經濟起飛、政治開放、機會公平——

(1) 重視經濟：只有人民收入增加，不再貧困，其他改革才能得人心。

(2) 政治開放：生活改善同時，主政者必須要走向政策與心態開放，一面拓展自由、民主、法治、人權；一面啟動解嚴及黨禁、報禁等的廢止，及大陸人道探親等，才能獲得知識份子與中產階級認同。

(3) 機會公平的落實：不僅在教育、就業、投資等方面，也表現在政治權力的參與及分享，如各中央與地方選舉。這就獲得了國內外輿論的稱讚，如《紐約時報》的評論：「台灣終於脫離封閉政治體系，在發霉的城堡中開啟了一扇窗。」這就是三十年前經國先生執政的場景與創造的遺澤。

三十年後的今天，民進黨執政，國民黨政權二次易手。台灣現在沒有，以後也難有，開明專制、良性強勢、無私無我的領袖出現。此後的選民，在民主與民粹糾結下，只能做一件事：每四年冷靜而理性地選出一位儉樸、廉能、有遠見、有愛心的總統。

二〇一八年二月

33

郝柏村
懷抱使命感、迫切感、責任感，寫下「百歲回憶」

學與思

- 郝柏村先生內心燃燒著維護中華民國的使命感，追求抗戰真相的迫切感，後代子孫幸福的責任感，親自執筆寫下一生在國家巨變中的經歷與省思，近二十五萬字的《郝柏村回憶錄》，為中國百年、台灣七十年的艱困奮鬥留下歷史紀錄，做出了歷史性貢獻。
- 「中華民族與中華民國是我基本堅定的立場……也許後世歷史家重新檢討海峽兩岸巨變真相，平反扭曲的歷史時，本書或有參考佐證價值。這是我終於提筆寫回憶錄的動機。」——郝柏村

郝柏村的六種著作

在天下文化出版的眾多回憶錄中，這是空前重要的一本，由擁有一世紀經歷的郝柏村先生自己執筆完成；在他百歲華誕問世，更具紀念性。

細數郝柏村院長過去二十餘年來，在天下文化已出版的著作有六種：

(1)《郝總長日記中的經國先生晚年》一九九五年

(2)《八年參謀總長日記（上、下）》一九九九年

(3)《郝柏村解讀蔣公日記：一九四五～一九四九》二〇一一年

(4)《郝柏村解讀蔣公八年抗戰日記：一九三七～一九四五（上、下）》二〇一三年

(5)《郝柏村重返抗日戰場》二〇一五年

(6)《郝柏村重返抗日戰場（增訂版）》二〇一六年

此外尚有編著五冊的《蔣公日記：從巔峰到谷底的五年一九四五～一九四九》（郝柏村摘註）。九年前（二〇一〇）就已完稿，準備在次年（二〇一一）中華民國百年誕辰時發行。可惜因蔣家後代對「蔣中正總統日記」的法律歸

屬，有不同的看法，至今已封存八年。這樣重要的史料，不能公開分享，實在對郝先生投入四年的心血，是一個沉重的挫折；對海內外讀者，更是無比的損失。

事實上，天下文化出版第一本關於郝柏村的書，是由當時《遠見》總編輯王力行寫的《無愧》。郝院長在卸任之後，是立即應允寫政壇回憶錄的第一人，他以坦率直言的軍人本色，接受了四十六次訪談，道出兩年九個月任內的施政與政治漩渦真相。《無愧》於一九九四年一月出版後，立即洛陽紙貴，創下空前紀錄。

使命感．迫切感．責任感

參與過八年抗日戰爭（一九三七～一九四五）、八二三砲戰（一九五八），擔任過蔣中正總統的侍衛長（一九六五～一九七〇）；在蔣經國總統時代，則是全國最高階的軍事將領（一九八一～一九八九）；在李登輝總統年代，他出將入相，擔任行政院長（一九九〇～一九九三）。

郝院長在一九九三年二月卸任後，內心燃燒著維護中華民國的使命感，追求抗戰真相的迫切感，後代子孫幸福的責任感，寫下了一生在國家巨變中的經歷與省思。這本近二十五萬字的《郝柏村回憶錄》，為中國百年、台灣七十年的艱困奮鬥與未來前途留下歷史紀錄。自序中言明：「保台反獨六十年」的人生歷程，「和平」才是兩岸中國人要共同追求的目標。

全書分四篇二十八章：民族思想的啟蒙、振興中華的志向、保台反獨的使命、承先啟後的心願。

讀者想先睹為快的，可能是第六章大陸失敗原因、第八章金門八二三之役、第十章隨侍領袖、第十五章與第十六章參謀總長，及第十八章至第二十一章行政院長的李郝體制、修憲、民主改革。最後七章討論還原抗戰歷史真相、三民主義在台灣、前瞻中國民主政治、中華民國與台灣人民、世界和平與人類前途及最後一章：一生的領悟。

擋不住的歷史巨流

郝先生完全無私地在回憶錄中，寫下了他內心最深切的感受，並且提出了他對歷史轉折的、深刻的及啟發性的評論。引述六則：

(1)「我流過血，在波瀾壯闊、驚濤駭浪的局世裡，在間不容髮的生死之變中倖存下來，人生已邁入第一百個年頭了。」

(2)「我又何幸而生在這時代，經過有史以來規模最大、範圍最廣、人類苦難最慘的第二次世界大戰，洗雪了中華民族百年來奇恥大辱，重振了中華民族為世界強權的聲望，我們真是中華民族承先啟後，成就最輝煌的一代，我是其中一員。」

(3)「中華民族與中華民國是我基本堅定的立場……也許後世歷史家重新檢討海峽兩岸巨變真相，平反扭曲的歷史時，本書或有參考佐證價值。這是我終於提筆寫回憶錄的動機。」

(4)「我從權力的高峰到一介平民，個人際遇起伏是巨大的，我在起伏中體察世事人情，所幸心如止水。」

(5)「我的一生經歷了生死、榮辱、貧富及權力的巨大波瀾起伏，但我自省應為一個盡責的公職人員。」

(6)「和平、民主、均富、統一是擋不住的歷史巨流，中國必然躋身於富強之列……中華民族若能走向孫中山路線，必為世界大同的領頭羊，而台灣人不認同中華民族，必將帶來無窮災害，最令我憂心。」

引述這些理性與感性的文字，使我們前後經歷過大時代的人，更能體會到這位長者與智者：得失之心、已心如止水；家國之思、則思潮澎湃。一生憂國憂民，郝柏村仍然堅信在世局多變之中，中華民族的復興與中華民國的發展。

不論是擔任文武兩職的最高職位，這位公私分明、思慮周密、執行力強的參謀總長及行政院長，郝柏村都善盡了責任，達成了使命，樹立了典範。他是構建台灣安全、民主發展及進步繁榮的重要功臣。

郝先生以中國心、台灣情、以及對中華文化的熱愛與世界大勢的掌握，所發表的「百歲回憶」，這是個足以自傲的浩大工程，將使海內外中文讀者世世代代受益。

宛如要使後代受益的史學家一樣，郝先生做出了歷史性的貢獻。

二〇一八年八月

34

星雲大師
不要佛教養我，我要佛教成長

學與思

- 大師不用佛教的供養，靠自己的著作、稿費、版稅，以及「一筆字」的金額就夠，但他將所有的金錢，全部捐給社會及佛光山。他不但不要，而且歡喜捨得、樂於給人。
- 「給」是星雲大師的「初心」與「一生實踐」，我們是否也想過自己的「初心」是什麼？是否走在實踐的路上？

「大師說話了，記得了，寫字了」

這是星雲大師病後的第一本書，真是珍貴得難以置信。一如去年八月大師在南京第一次展出「病後一筆字」，令人驚喜。

我何其幸運都在現場。那次展出的南京，是我的出生地；這本新書與「天下文化」合作出版，更是先睹為快。

回顧二〇一六年十月三十日，星雲大師應允在我們遠見十四屆華人企業領袖高峰會擔任重要的講話及頒獎。講話前夕接到弟子電話，大師因腦溢血需立即開刀。這真是太大的意外。覺培法師臨時趕到大會現場，講述大師理念，清晰動人，引起熱烈迴響。

當時的《聯合報》曾以頭版頭條報導十月三十一日大師「中風住院動刀，血塊如拳頭大」。做為一個《聯合報》長期讀者，從未讀到過對一位民間領袖，有如此地重視。星雲大師早已是一位受人推崇的國寶級導師。

多年來「與病為友」的大師，已把「病」看成「朋友」，和平共存；把「死」看成「因果」，早已置死生於度外。但是這次腦部大手術非同小可，手術成功後，大家放下了心；但復健之路，誰都不敢多想：如果大師是活著，但失去了記憶及說話的能力，這對一生永遠樂在工作的大師，該是何等的折磨？

大師的復元速度遠遠超過陳肇隆醫師率領的長庚醫療團隊的最樂觀的估計，這是醫療史的奇蹟。術後幾個月，大師康復的進度，逐日加速。

「大師說話了」「大師記得了」「大師寫字了」，每次弟子傳來這些好消息時，都使我激動不已，急著想去探望他。

前年夏天弟子打電話給我，轉達大師的話「你們告訴高教授：很想念他」。這讓我克服「不敢打擾大師」的猶豫，急著上山去探望大師。

在大師復健中，有近十次的探望，還專程與王發行人及幾位同事去大陸的宜興大覺寺。大師在那幽靜遼闊、後有竹山、前有雲湖的祖庭休養，真如人間仙境。每次探望都留下了有價值的照片與札記。

一本「小書」，又是一本「大著」

這本新書的厚度，與大師一生三千多萬字的著述相比，是「小書」；但所提倡的理念則是「大著」。樹有根水有源，大師正本清源地在自問：做和尚的初心是什麼？根本的動機在哪裡？

年逾九十的大師在高雄的佛光山上，在宜興的大覺寺裡，在晨曦中，在黃昏下，對這位已建造了眾多寺院、大中小學、美術館，以及創設了《人間福報》、「人間衛視」等媒體以及籃球隊的佛教領袖，用世俗的語言，大師怎麼能無中生有，不斷地在海內外擴增？

大師會淡然地回答：「這一切我都參與，但都不是我的。個人要給我的，我都不要。自己捨得，也沒有擁有過一塊錢。錢都大眾的，只是還來還去。」

一九四九年，二十三歲從揚州來到宜蘭的和尚，所發的初心就是不靠佛教養我；而且還要佛教靠我成長。

這種強烈的初心，我完全可以體會。因為自己也在一九四九年十三歲從上海隨雙親到台灣。少年在眷村孕育出了「自己爭氣」的個性，二十三歲去美國讀書，青年時代更養成了「一切靠自己」。近十年來面對小確幸在台灣的瀰漫，我大聲疾呼：自己的工作自己找，自己的家庭自己建，自己的舞台自己尋，自己的晚年自己顧。

大師大概沒有讀過十八世紀亞當史密斯（Adam Smith）的《國富論》，也沒有讀過當代波特寫的《國際競爭理論》，這些毫不影響他對財富、人性、市場、世局、國際化等等的判斷。他過目不忘，他無師自通，他舉一反三。他心中自有識見，腦中自有遠見。

有佛法就有辦法，有大師就能成大事

大師一生的言行，就是最具體的示範：「給」是初心，它不拘形式，它沒有終點。

大師給人歡喜，給人方便，給人信心，給人希望；大師推動做好事，說好話，存好心；大師傳承慈悲、智慧、放下……。

這些無形的善念所產生的感動，都變成了當他要興建寺院、學校、美術館時一幢又一幢的硬體，也使大家都變成了人間紅利的受益者。

追隨大師半世紀的慈容法師有深刻的描述：大師不用佛教的供養，靠自己的著作、稿費、版稅，以及「一筆字」的金額就夠，但他將所有的金錢，全部捐給社會及佛光山。他不但不要，而且歡喜捨得、樂於給人。他資助過的何止百千人，每天養育的何止百千人，給予社會的何止百千萬。既沒有銀行的戶頭，也沒有存放零錢，連一張書桌都沒有。

細數大師的事業，如：教育、文化、慈善……，這麼多的一切，他都不是「要」才有的，他都是「給」而來的。因為「給」就能「捨」，「捨」就能「得」。貧僧反而不貧而富有，但大師「以無為有」、「以空為樂」。

慈容法師又說：六十餘年來，看到師父也經常遇到沒有辦法的時候，但好似真有佛祖保佑他，明明「山窮水盡疑無路」了，他又能「柳暗花明又一村」。所以，他常說「有佛法就有辦法」，弟子們也認為「有大師就能成大事」。

終其一生，大師始終掌握住了「初心」的本意。「給」比「受」好。不希望「人人為我」，要變成「我為人人」。不僅不要自己靠佛教，而要以一己之力，弘揚佛教。

四十年前自己借用諾貝爾經濟獎得主傅利曼（Milton Friedman）的「天下沒有白吃的午餐」，呼籲國人要自己爭氣；沒有想到華人世界這一位宗教大師以這句話，發揮了「成就人間的願力」。

只能說：「厲害了，我們的大師」。

二〇一九年二月

35

錢煦
誠心和專心結合的輝煌人生

學與思

- 錢院士擁有的驚人執行力、說服力及整合力，是一位跨醫學領域與跨中國文化的大科學家，並且兼顧到美滿的家庭生活，研讀他的傳記，我們可以了解他為什麼能成為一位世界級的科學家。
- 「一切都是由『心』出發。」公務之餘，錢院士也經常鼓舞年輕一代的科學家，在中外各地演講，分享他對「七心」的心得與人生體驗，「七心」是什麼呢？

「最高的典範」

(1)「他舉世聞名的學術成就與奉獻社會的熱誠，是最高的典範。他精采的一生，更是年輕人學習的好榜樣。」

(2)「謙沖和藹的醫界泰斗與學術領袖，是他的最佳寫照。他是我學習的楷模典範。」

(3)「領導頂尖醫學科學團隊鑽研醫學生理，成就非凡。除獲得我國壹等衛生獎章及總統科學獎外，更囊括美國五大科學與藝術大獎；醫界完人，非他莫屬。」

(4)「他令人敬佩的人生哲學與學術成就，是立志於專業研究的年輕學者的典範。」

上述四個評語分別來自李遠哲院士、準副總統陳建仁、監察院長張博雅及台大楊泮池校長。他們所稱讚的科學家，就是這本《學習、奉獻、創造：錢煦回憶錄》的作者：錢煦院士。

錢家三傑

「天下文化」能有這個難得機會，出版錢院士親撰的回憶錄，是來自三十年前《遠見》創刊時的一段緣分。擔任創刊總編輯的王力行，專程飛到哥倫比亞大學訪問錢煦教授，再飛到華府訪問駐美代表錢復，之後於台北訪問財政部長錢純。這篇華府、紐約、台北錢氏三兄弟的專訪，立刻引起國內外媒體的重視。王力行指出：「家學淵源也許是他們比大多數人占優勢的地方；但是後天的勤學、自律、責任感更是他們變成頂尖人物的重要因素。」

錢家三兄弟都自台大畢業，都留美而學有專長。他們在工作經歷中，都曾創下紀錄：錢純曾是最年輕的中央銀行副總裁，錢復曾是最年輕的新聞局長，錢煦是唯一與父親同榜的中央研究院院士。

傳播媒體在介紹他們時，常用「家世顯赫」來形容，因為他們的父親錢思亮擔任過十九年台大校長和十三年中央研究院院長；母親張婉度是前經濟部長張茲闓的妹妹。熟識三兄弟的人都清楚，故錢院長謙恭內斂、待人誠懇、公私分明、正直愛國的身教，影響他們一生。

三兄弟中，錢煦從小最得母親喜愛；功課最好，經常跳級，十六歲就進了北京大學醫學院。一九四九年來台，二十二歲在台大醫學院畢業。二十六歲獲哥倫比亞大學博士。四十五歲當選中研院院士時，「父子同登國家最高學術榮榜」創紀錄，也傳為美談。

錢院士在哥大讀完博士，結婚後曾有一年住在胡適之先生紐約市西八十一街家中。他在回憶錄中說：「胡公公是中國近代最傑出的哲學家和教育家，學問淵廣，博古通今……從他那裡學到許多為人處事的原則。……我真是非常幸運，能夠從三位我最敬佩的長輩（父親、傅（斯年）校長和胡公公），受到直接教誨，這對我一生的思想行為有極大的影響。」。

適之先生一生提倡寫傳記，如果今天能讀到這位在揚子江邊度過童年，當年他疼愛的後輩，自己寫出這麼豐盛的自傳，他會高興地說：「真是長江後浪推前浪。」

從英文紀念本到中文傳記

錢院士分別在七十歲及八十歲生日時出版了師友撰述的英文紀念本。這本十二萬字、由錢院士親撰的中文自傳，終於在他八十五歲的四月在台北問世。這真是華人世界的空前盛事。作者在書中指出：「要能把所學的知識和能力運用到不同的情況，超越時間和空間的限制，與人類分享共用。」

海內外的華文讀者，透過這本自傳可以研讀：為什麼錢院士能成為一位世界級的科學家？

全書分三部十二章，按時間順序：第一部「家世恩情」、第二部「學習、研究、教育和創業」、第三部「學術研究團體的活動與服務」，再以「回顧與前瞻」做結語。全書條理清晰，故事動人，學術成就令人仰望，並附有院士大事紀及李小媛博士的「後記」。

特別要學習及重視錢院士學術成就的讀者，應當細讀第二部及第三部，就能理解為什麼他是一位跨醫學領域與跨中國文化的大科學家。

從書中，讀者不得不驚訝錢院士擁有的驚人執行力、說服力及整合力。他可以面對同樣重要的研究工作，有效率而又細密周全地主持國內外的重大研究計畫，參加重要的學術會議，出席不斷湧來的榮譽盛典，以及指導研究生發表論文，擔任主題演講，並且兼顧到美滿的家庭生活。

二〇一五年十一月，為了支持前交大校長吳妍華教授主導在台灣的一項國際研究計畫（由交大、陽明、北榮和聖地牙哥的合作）：運用生醫工程解決台灣重要健康問題。他清晨飛抵台北，當天再飛回美國西岸。在台北十二小時停留，協助參加三小時面試，審查順利通過。回想起來，「當天往返很值得。」

以「七心」為待人處事核心

錢院士是一位鍥而不捨地在鼓舞年輕一代的科學家。在中外各地演講，分享他的人生體驗時，常以七個「C」字為要點：

(1) Compassion 熱愛：「全心」熱愛。
(2) Commitment 投入：「決心」投入。
(3) Comprehension 學習：「用心」理解。
(4) Creativity 創新：「精心」創新。
(5) Cooperation 合作：「同心」合作。
(6) Communication 溝通：「推心」溝通。
(7) Consummation（Completion）完成：「盡心」完成。

錢院士無私地、語重心長地告訴大家：「一切事都是由『心』出發，我們用『心』來待人處事，一定會成功。」因此「七C」之中全有「心」字。

在最後一章，錢院士感性地總結：「我特別要感謝匡政（夫人）給我六十多年來的恩愛照顧……也要感謝師長們的盡心教導，同事們的推心合作，同學們的用心努力，親朋們的衷心愛護。」

當做人做事與誠心和專心結合時，就有機會產生像錢院士一樣輝煌的人生。

二〇一六年五月

36

沈君山

一位跨領域、跨地域的學者與公共知識份子

學與思

- 沈校長的一生言行，展現了從不間斷的學習、反省、包容、閱讀及愛國情操。
- 在資訊太多、時間太少的年代，必須學會善用「注意力」，掌握「優先次序」，讓自己「專業內要內行，專業外不外行」，成為像沈校長這樣一位「內外兼顧的知識人」。

沈君山教授（一九三二～二〇一八）是一位跨世紀、跨領域、跨地域的學者與公共知識份子。在一九九四～九七年間擔任清華大學校長。這篇短文敘述我在清華大學畢業典禮中的講話，傳播他博學多才的一面。

專業內要內行，專業外不外行

二〇一二年六月應清大陳力俊校長之邀去畢業典禮講話。內心最大的願望是：想借這個機會，使清大同學更能分享仍在病中的沈前校長的才情與智慧。講題是「內外兼顧的知識人」：專業內要「內」行；專業外不「外」行。這也是呼應陳校長對清大人的勉勵，要「具備科學與人文素養」。

一九六四年去威斯康辛大學經濟系任教，自己最痛苦的發現是每到星期天打開二百多頁《紐約時報》的星期天版，就會發現其中一半的題材是看不懂的，如科學、宗教、藝術、音樂、建築等等。

在「咖啡時間」（Coffee break）聽美國同事們談到他們觀賞過的歌劇、畫展、球賽，以及在國會辯論立法等等時，就像啞巴一般無從加入。我就強烈地體會到：僅有一些專業領域的知識是不夠的，必須要把知識領域擴大。

在相識的美國同事中，很快發現，除了他們的專業領域，他們都喜愛音樂、體育、藝術、歷史、文學、宗教，這即是我日後嚮往的所謂「文藝復興人」（Renaissance Man）。他們的淵博提醒自己專業外的不足。這即是為什麼我要求兩個孩子在大學要接受完整的 Liberal Arts 課程；這也是為什麼回到台灣一直在鼓吹：專業內要內行，專業外不外行。

沈校長的一生，從不羨慕那些大官、巨商、新貴；在專業領域，他沉醉其中；在專業外，他享有多姿多彩的人文情境。沈校長的一生言行，展現了從不間斷的學習、反省、包容、閱讀及愛國情操。

圓滿的人生就是在尋找各種因素的平衡：家庭與工作，所得與休閒，儲蓄與消費，小我與大我。要做一個內外兼顧的人，七或八成時間用於「專業」，二到三成時間用在吸取「專業外」的知識；避免「太多專業，太少人味」。

面對「資訊超載」

今天年輕人面對的一個大問題是資訊太多，時間太少，即所謂「資訊超載」（Information over-load）。兩位美國管理專家載文波特和貝克（T. H. Davenport,

J. C. Beck）提出了一個很實用的觀念：就要善用「注意力」，克服資訊超載的焦慮，「注意力經濟」（Attention Economy）一詞也就應運而生。「注意力」的定義就是把精神集中，投注在特定資訊的項目上。這些項目進入我們「意識」，經過篩選，然後決定是否採取行動。讓我歸納善用「注意力」的四個要點：

(1) 不需要把自己當成「消息最靈通的人」，做資訊的奴隸；當自己閱讀時間有限時，把注意力集中在一流的讀物上。

(2) 善用「注意力」，就是掌握「優先次序」，「捨」才會「得」。注意力難以聚焦的最大敵人，就是不肯說「不」。做人面面俱到，做事拖拖拉拉，決策左顧右盼。

(3) 獲取資訊的原則：在當前假新聞滿天飛舞下，不在量，而在質；不在快速，而在精確；不在免費提供，而在是否實用。

(4) 喪失注意力的人，等於喪失了自我；集中注意力的人，才能與時俱進。

各位優秀的清華畢業生，當你們戴上了「注意力」的鏡片，忽然周邊一切都變得比以前清晰，它使你清楚地分辨哪些該投入，哪些該放棄。

這樣你才會有時間，優雅地做一位「內外兼顧」、有氣質的人。你們的沈校長，就是這樣傑出的一位。

沈校長的Legacy

我與沈校長相識四十多年，深深地體會到他君子的氣度、奔放的才情、瀟脫的文思、理性的觀察，以及對家國的憂思與愛情的頓悟。

可惜近年來他一直在清華校園的住宅中沉睡未醒，令所有海內外朋友不捨。剛才（二〇一二年六月九日下午）我和黃秉乾院士一起去探望了他，輕輕地告訴他：「等一下我會對你最掛念的清華同學講話。」

我要告訴清大同學，沈校長最大的掛念，就是希望你們每一位都能擁有專業與通識的本領，以及深厚的人文情懷。這應當是你們對老校長最值得珍惜的遺澤（Legacy）。

沈校長在兩岸關係上投入了熱情與心血，且擁有左右逢源的機遇，但至今這個「中國結」依然無解，此一壯志未酬的惆悵變成了他離開人世最大的遺憾。

二〇一二年六月、二〇一八年十月

二〇一九年十月更新

追思清華大學沈君山校長

二〇一八年十二月二十二日清華大學校園中舉辦了「沈君山校長追思會」。會中我朗讀了〈玉山巔　長江水〉八行短句（見二三四頁）。一九九〇年代初，曾一起參加「國家統一委員會」，起草「國統綱領」，以及多次共赴大陸參加兩岸研討會及共遊錦繡河山。

在南京誕生的他，一生瀟灑：出入於科學與人文之間、學府與廟堂之間、台灣與大陸之間、本土與國際之間、愛情與友情之間。

張作錦、王力行和我與君山在不少政治和社會主題上看法接近。我們共同認為：這位才子與君子，把心留給了中國，把愛留給了台灣，把情留給了清華，把一生的典範留在人間。

玉山巔．長江水

——獻給君山去世百日

共登玉山巔
共飲長江水
兩岸一樣近
兩岸一家親
兩邊心比心
兩邊一起興
共擁中華情
共圓中華夢

二〇一八年十二月二十二日　清華園

37

張作錦
從「姑念該生」到「感念該生」

學與思

- 「我的求學路，兩個字：坎坷」，作者在回憶錄中總結。「他的得獎路，兩個字：當然」，這是我的觀察。
- 作老是台灣半世紀新聞事件變化中，站在第一線的見證人及號角手。從他的生平回憶中，可以帶給我們許多省思。
- 在時代的大變局中，靠著對學習的堅持與筆耕不輟，從「逃兵」變成「報人」，是年輕人奮鬥的典範。

求學坎坷，得獎當然

張作錦十六歲離鄉隻身來台，先是從軍、逃兵、街頭「遊民」；稍後考進政工幹校，剛服役卻因肺病被退伍；二十八歲考上政大新聞系，又險被「勒令退學」，幸有教育部「姑念該生」的批示，三十二歲終於大學畢業，獲得平生第一張文憑。

「我的求學路，兩個字：坎坷」，作者在回憶錄中總結。

當馬總統在二〇一五年頒贈總統「文化獎」；二〇一六年又頒贈「二等景星勳章」給張作錦先生時，張夫人坐在第一排，面帶微笑，全神貫注；我自己也受邀觀禮，實在太為老友興奮了；一個新聞人兩年內獲得國家元首兩項大獎，這是前所未有的。

「他的得獎路，兩個字：當然」，這是我的觀察。

這個生命波折及才華被賞識的故事，只能在一個開放社會才容易出現；這本回憶錄也就值得細讀。

走向新聞，展現長才

經過成長中的多重轉折，張作錦政大畢業後，苦盡甘來。孔子說得好：「三十而立，四十而不惑」。一九六四年進入《聯合報》，展開了從「遊民」到「報人」的新聞專業之旅。後來大家所熟悉的，「一生以記者」為榮的政大新聞系畢業生，從高雄地方記者走進台北總社，蓄勢待發。

一九七一年我國退出聯合國，外交孤立，但是全國上下鬥志高昂，經國先生開啟重用大批青年才俊。

那是一個年紀輕就要擔重任的改革年代。從新聞系畢業十一年，四十三歲的張作錦就出任《聯合報》總編輯。

在台灣經濟起飛意氣奮發的七〇年代；在台灣民主夾雜民粹的「寧靜革命」中不寧靜的八〇年代；在大陸和平崛起，台灣內部分裂，兩岸關係不確定的九〇後年代；進入二十一世紀，兩岸差距變成逆向發展年代，張總編輯或在現場採訪報導，或在編輯台上取捨新聞，或埋首撰寫重要評論。

書中第七部，作者對他所敘述的十位學者、知識份子，都有深交，也有相近的理念。這些人共同擁有深厚的中華情懷，民主法治的堅持，公平正義的落實，開放社會的建立，貧富懸殊的減少。在兩岸關係上，要走向交流協商，和平相處，追求雙贏。

他是台灣半世紀新聞事件變化中，站在第一線的見證人及號角手。他主編的報紙，他選用的記者，他邀約的評論，他自己的文章，都使我們變成了《聯合報》長期的忠實讀者。

「好人」有「好報」

把「好人」有「好報」來歸納王惕吾創辦人領導下的聯合報系，再恰當不過了。重用了「好」的「人」（如張作錦等），才能辦出「好報紙」。

在張總編輯六年任內（一九七五～八一），他對《聯合報》編輯部所堅持的工作態度，與所做的調整，既貫徹王創辦人的「正派辦報」，也符合現代創新精神。例如增設專欄組、副刊組、民意論壇，推動內部訓練人才，獎助優秀年輕作家，創辦《聯合月刊》雜誌，開設文學獎項，舉辦座談會等等。

《聯合報》編輯部的這些創舉，如用一九八〇年代後西方管理學名詞來解釋，那就是：「藍海策略」的運用，「競爭力」的提升，「附加價值」的創造，「執行力」的貫徹。

大學管理學院的博士生可以寫好幾篇論文：探討「內容為王」（Content is the King）是《聯合報》在那黃金年代、聲譽及營收增加的關鍵因素。提升報紙的品質，正是張社長的最大強項，書中的四分之三的精華，就是環繞著這個大策略。

把報紙看成文化事業及傳播媒體，我就沒有把《聯合報》視為是一個典型的「企業」，因為惕吾先生辦報的目的不是「利潤極大化」；而是一面要體察國情，另一面要善盡「社會責任」。附錄中敘述了王創辦人的人文情懷及慷慨捐贈。每次動輒千萬台幣及百萬美金，成立文教基金會，贊助設立台大新聞研究所、學術出版社、資助國內外學人及大陸學生、論壇及相關活動；對前輩學者吳大猷、錢穆、牟宗三等之禮遇更令人感動。

當《聯合報》能同時兼顧到這幾個面向時，就接近了完美的平衡。對讀者而言，它在時事分析與新聞報導上不斷地愈來愈好，既鞭策了政府，也鼓勵了民間，更增加了全民的視野。這就帶動了社會的進步。

《聯合報》創造的多贏，再度證明了先有「好人」，才能有「好報」。

筆耕下的成就

二〇一九又是台灣四年一次的總統大選年。如果是一個成熟的民主社會，選民當可驕傲地品嚐民主的果實；可是台灣就像一些民主國家一樣，變成了民粹當道。

這使人立刻想到四年前受到重視的兩本書：《誰說民主不亡國》與《江山勿留後人愁》，這是張社長在聯副二十七年「感時篇」專欄的精華集結。如果把「民主」改成「民粹」，那更是逼真的描述了當前我們的困境。

做為我們創辦事業群的推手，張作錦一共為天下文化寫了九本書，主編了四本書。每一本書都有重要的論述：如：《牛肉在那裡》（一九八八）、《誰在乎媒體》（一九九六）、《一杯飲罷出陽關》（二〇〇六）、《誰與斯人慷慨同》（二〇一二）和《我們生命裡的七七》（二〇一四，主編）。

毫不誇張地說，做為一個當代知識份子，都不應當錯過這些好書。

此刻，各方友人終於說服了他，撰述了一生最重要的著作——他自己的回憶記事。這是「天下文化」繼八月出版《郝柏村回憶錄》後，對讀者的另一大貢獻。

第四位典範人物

筆者自己一生分成三個階段。二十三歲前在大陸與台灣：戰亂與求學；隨後的四十年在美國：進修與教書；最近的二十年又回到台灣（也常去大陸）：傳播與出書。

誰是我心目中台灣的典範人物？以前的文章中曾提過對三位人物的尊敬與仰慕：李國鼎資政、郝柏村院長、星雲大師。此刻要增加一位：張作錦社長。

這些典範人物，我自己都與他們有三十年以上的相識，並且理念及政策上有共識；常向他們請益與往來。

李資政示範了一位敢說、敢想、敢做的財經首長，他擁有決策者的高貴靈魂，既「能」又「廉」，既「勤」又「實」。郝院長示範了一位出將入相、保台反獨、振興中華的軍政首長，充滿了使命感、迫切感、與責任感。星雲大師的影響超越台灣，跨越宗教，飛越時空，創造了無遠弗屆的「人間佛教」及「人間紅利」。

一九七〇年代利用暑期返台做短期研究時，因投稿《聯合報》而認識了編輯部的負責人張作錦先生。回到美國就告訴內人，暑假回台的最大收穫，就是結交了這麼一位值得信賴的朋友。半世紀的交往，如果拿英文來說，作錦兄就是：a decent man, a trusted friend, a great writer。

綜合作錦兄的特質，我的歸納是：

- 做人：誠懇、守信、有分寸、不炫耀，做到別人不易做到的人。
- 做事：正派、負責、創新、貫徹，做別人不易做到的事。
- 文章：敏銳、犀利、感人，見人所未見，言人不敢言。

這就說明為什麼他得那麼多新聞獎、文化獎、成就獎，是那麼地「當然」及「自然」。值得補充的是，在二〇一〇年張作錦先生是第一位獲得了星雲真善美傳播獎項中「終身成就獎」的榮譽。

歷年來社會上受信任的十四項職業調查中，記者的排名常常殿後。這應當是作老的終身之痛。

故事分享

四十餘年相識，彼此的家人與友人共處了很多美好時光。

每逢春節我們五對夫婦（張作錦、李誠、王力行、林祖嘉、高希均）常去各地旅遊，包括了南非、希臘、夏威夷、菲律賓、吳哥窟及大陸多處名勝，近年有幾位已不宜長途跋涉；聚在一起「回想當年」，還是一種樂趣。

下面分享幾個故事：

⑴ 政大到哥大，耶魯到耶魯：一九八三年春天我們和王力行夫婦相約在紐約探望來美不久的作錦一家。一天上午作錦和他的男孩南寧共去參觀他在進修的哥倫比亞大學。聊天中，這位剛來美讀高一的小留學生志向不凡，問我有哪些大學是和哥倫比亞大學一樣的好？我說有好幾個，如哈佛和耶魯。即預感他來日定有成就。果然申請大學時，耶魯提供獎學金，畢業後又再留在耶魯醫學院畢業，現在已是在紐約執業很有名氣的心臟內科醫師。

南寧的幼女惟美（Rachel Chang）更是天才型的學生。在高二（二〇一七）那年獲得了第一屆斯德哥爾摩青少年水獎（Stockholm Junior Water Prize）首獎。這個被譽為是「小」諾貝爾獎，是由三十七個國家選出的首獎當選人，共赴瑞典首都，在諾貝爾頒獎的同一個禮堂，當眾宣佈得獎者。最高榮譽的第一名給了 Rachel Chang 和另一位合作的男生，都是十七歲。獎金為一萬五千美元。他們成功地開發了新系統，能在十秒鐘之內檢查某些細菌。評審認定「擁有改善水質革命性的潛力」。高中畢業後，麻省理工學院與耶魯同時爭取她，最後她還是選定父親的母校耶魯，現為大二，主修環境工程。

在中國大陸戰亂中長大的祖父，自己從政大到哥大路程遙遠，兒子與孫女進另一常春藤名校耶魯則是理所當然，內心一定有無限的安慰。

作錦兄的長公子南強，新竹交大資訊工程系畢業後，到美國芝加哥西北大學取得電機工程碩士學位，入美國思科公司（Cisco）任工程師，後被派到上海，任大中華區副總裁，現轉職回台，為「和碩聯合科技」第六事業處處長。

⑵不占名額：二〇〇五年五月國民黨主席連戰有北京的「破冰之旅」，這是國共兩黨六十年來最高層次的開會。徐立德資政代表連主席邀請張作錦和我一起從台北出發赴會。作錦兄正在北京，忙著北大的「博士後」，他回話自己可以去北大，不必占台北代表團的有限名額。現場聽了連先生的北大演說，作錦兄讚不絕口。我則直接趕到第二站上海，現場聽到了連先生另一場精采演講。

⑶北京的家：作錦兄要去參加北大「博士後」學程，大嫂看了附近第一間房子就喜歡，因為有一個她先生喜歡的大書房，沒有還價，就立刻買下。座落在

小區中，我去過好幾次，非常優雅、寬敞，似乎比他們台北在國父紀念館附近的家更舒適些。四年「博士後」結束回台時，張大嫂要出售，立即就賣掉了。你很難相信：張大嫂就是這麼一位「完全相信別人」、「你說了算」的人。賣掉之後，她發現居然超過了原價及四年的生活費用及往返機票，還有一些剩餘，果然印證「好人有好報」。

(4) 莫斯科特派員：經過張總編輯的提議，我還有一次「特派員」參訪共產國家的經驗。

一九八〇年四月與十餘位美國教授們同去莫斯科開會（七月蘇俄辦奧運，發出了不少對美國各界的邀請參觀信）。作錦兄知道我有鐵幕行，希望能多停留些時間，寫幾篇對蘇俄及東歐經濟的觀察，費用由報社負責。利用這個難得的機會，我花了一個多月時間參訪了莫斯科、列寧格勒、華沙、布達佩斯等主要城市。聯合報五月刊出了五篇蘇聯系列文章，六月刊出了三篇東歐文章，九月《聯合報》出版了這系列文章集結：《共產國家來去：蘇俄、波蘭、匈牙利紀行》。

文字是永遠的老師

沒有張總編輯的約稿，不可能在七〇年代起開始寫文章（助理幫我計算從一九七五到今年四十餘年，在《聯合報》共發表了三百篇左右，令自己都不敢相信有這麼多），也就不會想到辦雜誌；更不可能在八〇年代初，我邀約了他、王力行及殷允芃討論創辦雜誌的可能性。先是《天下雜誌》（一九八一），後有「天下文化」（一九八二）與《遠見》雜誌（一九八六）的逐步問世。

做為創辦人之一，作錦不論在紐約與台北，一直把他的書給「天下文化」，把專欄給《遠見》和《聯合報》。

面對當前「五缺」（缺水、缺電、缺地、缺工、缺人才），台灣最缺的還是典範人物。張作錦先生是個真實的、勵志的、可學習的典範，應當透過各種傳媒方式來推薦，擴散，包括要說服作老拍攝成紀錄片或影片。

一九四九年大遷徙中來了一百多萬大陸各地的人民，今年二〇一九剛好是七十年。七十年來他們及他們的下一代，奮發圖強，救了自己，救了台灣，也救了中華民國，外省人與本省人早已是一家人，有共同的犧牲及貢獻。

張作錦先生在這個大變局中，能從「逃兵」變成「報人」，正是奮鬥的典範。回首半世紀的人生，作老真是：

一無所懼，走向新聞；

一本初心，滿載而歸。

教育部及他的母校政大早應從「姑念該生向學心切」改為「感念該生成就非凡」。

閱讀使我們謙卑，文字、報紙、以及書本所產生的力量，是我們永遠的老師。

二〇一九年九月

38

張孝威

「直說」難，「直做」更難

學與思

• 張忠謀對這位台積電前財務長有極高的評價：「張孝威是很成功的金融人與科技人。」認為從這本回憶，除了可以看見一個頂尖科技金融人如何成長，也能窺見台灣金融業和科技業快速成長而趨成熟的許多內幕故事。

• 好學深思的張孝威在書中述說他的專業、價值、擔當及人生態度，還細心歸納了哪「六大自律」與大家分享？

獨立獨行，追求成就感

年輕一代普遍地把太多時間花在滑手機上，把太少時間放在安靜地閱讀上。因此，胡適之、傅斯年、蔣夢麟……都變成了陌生人。對台灣經濟發展的功臣：嚴家淦、尹仲容、孫運璿、李國鼎、趙耀東等，也幾乎是一無所知。

這本書的作者張孝威，近四十年來在台灣的金融、高科技、電信及電視媒體等領域屢戰屢勝，屢勝屢戰；他已獲得超過十項以上國內外評比的專業大獎。

他在專業圈內赫赫有名，但是由於不愛出名的個性，一般人對他或有「隔行如隔山」的模糊；這就是我多年來一直擔心在多元社會中，仍有功能性文盲的存在。這些資訊的隔閡，阻礙了典範在社會的轉移，極為可惜。

傳播進步觀念的「天下文化」，就是要推介社會各界的傑出人物，做為年輕一代的表率。我相信「學習救自己」，讀到了這些活生生的典範，就容易激發不僅年輕人力爭上游的熱情，也能鼓舞中年人選擇轉換跑道的勇氣。

這是本作者親身經歷的精品回憶錄。在這充滿偽善虛驕、政商關係、民粹當道的職場與官場，張孝威能獨立獨行、不懼權貴、不放棄原則、不趨炎附勢，在每一個主管財務的敏感職位上，能正直地說，更能正直地做，真是鳳毛麟角。

在我們出版重要人物的回憶錄或自傳前，我都誠懇地告訴傳主：「天下文化」萬千讀者要分享的，是你寶貴的工作「經驗」，不是「財富」的累積與「權勢」的炫耀。

張孝威四十年的職場生涯中，每次重要職稱的轉換，不論是總經理、財務長、董事長……，都為這一任，也為下一任的機構創下了輝煌的成績。他轉換跑道的最大動力是：持續地追求卓越，完成別人難以完成的挑戰，獲得自我設定高標竿的成就感。

「輕輕的我走了，正如我輕輕的來……我揮一揮衣袖，不帶走一片雲彩。」一九二八年秋，徐志摩的「再別康橋」，居然也可貼切地描述張孝威每次離職的心情。

「六大自律」的分享

作者在一九七七年（二十六歲），於美國賓州華頓商學院獲得企管碩士後，曾在加州廣州銀行短期任職，自一九七九年（二十八歲）起，展開了在台灣的專業生涯。

- 三十八歲帶領大華證券成為各大企業爭相合作的第一名券商。
- 四十七歲接任台積電財務長，為台積電成功募得十一億美元外資，奠定半導體龍頭地位。
- 五十二歲掌舵台灣大哥大，讓公司市值翻倍，成為台灣備受尊重的企業。
- 六十一歲接任TVBS董事長，為台灣複雜的媒體生態，要做出「公正、創新」的貢獻。

讀者要問：張孝威是以什麼樣的專業、價值、擔當及人生態度，從一步一腳印，走上一換一產業？

這位好學深思的作者，細心地歸納出他的「六大自律」：

(1) 一個人要擁有二種實力：專業是硬實力，誠信是軟實力。

(2) 得失之間，不可得意忘形，也不需怨天尤人。要及早領悟出「面子」不是那麼重要。

(3) 職場上換跑道很正常。切忌眷戀過去的舞台，不能下戲。把過去的結緣看成助力。

(4)不能為保全職位，放棄篤信的價值觀或職業道德。

(5)領導要兼有「威信」與「有容乃大」。一則是相信自己，一則是借重別人。

(6)不愛出風頭，也不好面子。對原則的事，不輕易讓步；提醒自己：嫉惡如仇的潔癖會帶來麻煩。

是他家學淵源的家教、篤信基督的宗教、以及要求自己樹立的身教，領悟出這六項人生法則。

台積電財務長五年

在張孝威擔任財務及經營的重要職務上，都充滿了各種挑戰及自我期許。讀者最有興趣的大概是落在第七章：「重出江湖，接下台積電財務長」的那五年（一九九八～二〇〇三）及台灣大哥大的七年（二〇〇三～二〇一〇）。

業界不免好奇：一位強勢領導的張董事長與一位獨立判斷鮮明的張財務長，會擦出什麼樣的火花？他的好友也是台積電的主將蔡力行告訴他：「去台積電，最大的風險，是你能不能和董事長相處。相處好，什麼都不是問題；至於待遇的部分，你一定會滿意的。」書中說出他已有心理準備：「我學著在心中多一點謙卑，遇事放下自己的觀點，……當我學會如何用老闆的邏輯想事情，再加上我的專業知識，即使看法有出入，我們的溝通也順暢無阻。」五年的相處，證明一加一大於二，創造了台積電飛躍成長。作者歸結「我們之間的互動良好，讓我感覺受到尊重。」最後向他當面請辭時，「他並沒有生氣，而是用最和善的態度了解情況，同時挽留我，希望我再考慮。」這真是英雄惜英雄的場景。

張忠謀對他擔任了五年多的財務長有極高的評價：「張孝威是很成功的金融人與科技人。」對本書也提出了感性的推薦：「張孝威成長及成熟的時代，也是台灣金融業和科技業快速成長而趨成熟的時代。這裡面有許多內幕故事，讀者可以在這本書裡，一窺當時的內幕。」

台灣大哥大的傲人成就

天下沒有不散的筵席，二〇〇三年八月台灣大哥大正等待這位新領導人來扭轉乾坤。果然七年後（二〇一〇年底）離職時繳出了一張值得驕傲的成績單：接任時股價二十四元，離職時股價六十四元；公司總市值也由當時一千二百億大幅增到二千四百億；在非財務指標上，台灣大哥大在這些年間獲得了十六項以上的獎項，被評為「標竿企業」、「社會責任企業」、「最受尊崇企業」等。

原以為已打完「將軍最後一仗」的張孝威，又受到宏達電王雪紅董事長的誠意邀請，於二〇一二年五月重披戰袍，出任ＴＶＢＳ董事長。他的回憶錄就暫時停在那裡。

讓我們熱切期待，張孝威如何喚醒ＴＶＢＳ這頭「沉睡中的獅子」，以及克服數位匯流帶來的衝擊。這又將是另一段光輝的故事。

二〇一八年三月

39

鄭文燦
以務實模式超越對立、凝聚共識

學與思

- 一個能帶領社會走向文明的政治領導者，必須擁有這些本領：能化敵為友，廣納百川，共同推動規劃的遠景，改善人民的福祉。
- 能超越省籍與對立的，並能務實處理政事的政治人物，才是未來民眾所需要的。

面對當前國內外大變局及不穩定的兩岸關係，政治領袖必須胸懷大願景，掌握大趨勢，訂定大戰略，才能為台灣開創大格局。

可惜細看台灣政壇，常憂慮其中不少人物的「四小」，可概稱為政壇小人物：⑴小格局思考；⑵小圈子經營；⑶貪圖小便宜；⑷自甘於小成。

這種小人物來治國，國家一定陷入困境；這種人來經營企業，企業一定沒有前景。

因此，首先要排除的，就是「四小」的陷阱。小人物的言行，從「我」出發，也從「我」歸結——一切以「我」的利益做為最重要的取捨標準。

務實的從政模式

九月七日「天下文化」為獲得《遠見》雜誌今年五星市長鄭文燦發表新書。我們終於在二〇一八年六都市長中找到了一位新世代的政治人物。他就是獲得最高施政滿意度的桃園市長鄭文燦。這本以「鄭文燦模式」為名的桃園經驗，封面上的文字提供了答案：「超越對立，以對話取代對立，以共識取代衝突，落實多元、包容、尊重的整合型思維」，這真是台灣十餘年來民粹崛起後，我們盼望政治人物的從政特質：不好鬥、不硬拗、不偽善；更不是你死我活、目中無人、逆我者亡。政治不應當這樣地殺氣騰騰。新書發表會中出現了鄭市長的母親及夫人，更增添了親情及和諧。

一個要走向文明的社會，政治領導者的本領就是能化敵為友，廣納百川，共同推動規劃的遠景，改善人民的福祉。

新書發表會中，三位民進黨政治領袖的發言極具啟發性；可惜剛發生促轉會副主委辭職的張天欽，所表現目無法紀的言行，仍令人對政府信任充滿疑慮。

賴清德院長稱讚鄭市長的誠懇、熱忱、能力強。從政過程中他能合作，也能包容；他能團結，也能開創。

行政院前院長蘇貞昌稱讚鄭市長是腳踏實地、又聰明又耐操，與任何人都能相處。

台大學生時代共同參加學運的文化部長鄭麗君稱讚：當年就公認的才子，具有領導人的政策規劃能力，接地氣、認真、人和。

從三位發言中，看來民進黨以後的行政院長非他莫屬；令人期待的是，這位桃園市長以自己的才能和判斷，「超越對立」樹立了從政者務實的治理模式。蔡總統在序言中特別稱讚這點。

務實的「新」從政者出現

關心台灣政治與民主的沈君山教授，終於在長年臥病後去世。他一直提倡：破解台灣分裂，就是要族群融合與兩岸協商。這只有借重務實的「新」從政者所擁有的胸懷、願景與格局；「老」的一代應當名實相符的「裸退」，更要毫不含糊的「全休」。

三十多年來，在本土意識飛揚的台灣社會，發生了鐘擺效應，出現了超越省籍與對立的政治領袖。

他們大都是一九四九年以後出生，受過良好教育的一代。悲情已引不起他們的持續抗爭；願景卻誘發了他們的豪情壯志。他們的焦距對準了二十一世紀的變化，他們討論的是哈拉瑞（Yuval Noah Harari）《二十一世紀的二十一堂課》。他們的共同分母，來自於國內外所累積的識見，也正在盡情發揮這種自由的選擇。

鄭文燦是一個剛萌芽的從政實例。當市長的第一天，他就以「做好市長」為唯一目標，自勉「看破教條、壓力、誘惑、金錢和恩怨，凡事都要做對做好。」

又能在推動政務中與人為善，不問藍綠、只問能力的用人哲學，展現了多元、包容與尊重。

這不是一個簡單的、容易做到的組合與承諾。鄭文燦模式的成敗，就在從市長第一天開始，就要「做對做好」。

二〇一八年九月

40

賴清德
勇於任事，重視操守

學與思

- 政治立場也許有藍綠之別，但政治人物的施政則要超越對立，從政策制定到推行，以改善全體人民的生活優先。
- 賴清德指出：「若台灣的力量不分散，台灣一定可以愈來愈壯大，兩岸才可能趨於和平」。
- 歷史上的功臣是化干戈為玉帛；歷史上的罪人是化和平為戰爭。

歷史是血、淚、汗共同塑造的

一個時代的歷史，是由一些革命家、思想家、政治人物及追隨者與反對者，以血、淚、汗所共同塑造的。其中有國家命運的顛簸起伏，有社會結構的解體與重建，有經濟的停滯與飛騰，更有人間的悲歡與離合。

百年來中國人的歷史，正就徘徊在絕望與希望之中，毀滅與重生之中，失敗與成功之中。

以傳播進步觀念為己任的「天下文化」，自一九八二年以來，先後出版了實際參與改變中國命運與台灣發展重要人士的相關著作。這些人士都是廣義的英雄，他們或有英雄的志業、或有英雄的功績、或有英雄的失落。在發表的文集、傳記、回憶錄中，這些黨國元老、軍事將領、政治人物、企業家、專家學者，以歷史的見證，細述他們的經歷軌跡與成敗得失。

呈現不同政治光譜

上面的幾段話，是我們出版政治人物著述時，對讀者重要的交代。三十餘年

天下文化政治人物相關著作

年代	書名／作者
1994	《無愧：郝柏村的政治之旅》（王力行著）
1998	《蘭陽之子游錫堃》（林志恆著）
2000	《連戰的主張》（連戰著）
2000	《張俊宏獄中家書》（張俊宏著）
2000	《變天與挑戰》（郭正亮著）
2001	《台灣良心話》（呂秀蓮著）
2002	《無私的奉獻者》（施明德著）
2003	《衝衝衝蘇貞昌》（何榮幸著）
2004	《丁渝洲回憶錄》（丁渝洲著）
2005	《錢復回憶錄》（錢復著）
2006	《蔣家門外的孩子》（蔣孝嚴著）
2007	《逆中求勝》（謝長廷、郭瓊俐著）
2009	《蔣經國晚年身影》（張祖詒著）
2010	《做，就要做好》（朱立倫著）
2010	《中國命運・關鍵十年》（關中著）
2010	《情義在我心》（徐立德著）
2011	《台北和平之春》（唐飛著）
2014	《草根的力量》（楊秋興著）
2014	《兩岸波濤二十年紀實》（蘇起著）
2015	《迎戰風暴：劉兆玄內閣的關鍵478天》（楊艾俐著）
2015	《郝柏村重反抗日戰場》（郝柏村著）
2015	《蔡英文繞不繞得過中華民國》（黃年著）
2015	《沒有走完的總統路》（洪秀柱・楊艾俐著）
2016	《走兩岸鋼索》（馬紹章著）
2017	《百年大黨，十年風雲》（李建榮著）
2018	《鄭文燦模式》（鄭文燦著）
2018	《台東不一樣》（黃健庭著）
2018	《八年執政回憶錄》（馬英九・蕭旭岑著）
2019	《用行動帶來希望──賴清德的決策風格》（郭瓊俐著）

來，「天下文化」出版了七十多種此類型的書，展現出台灣政治理念上不同的光譜，列舉其中重要的代表作如右表。

做為一個知識份子，如果不細讀推敲這些重要政治人物的言行紀錄，是無法解析台灣政局的錯綜複雜；這些書也就變成了研讀台灣政治發展的重要素材。可惜的是，局中人的敘述仍有保留，造成局外人的透視仍有模糊。但是每多出一本政治人物的著述，也就對台灣政情版圖增多一分了解。

賴清德的決策風格

自去年十一月九合一選舉後，台灣政治出現了空前的大翻轉：人民對政治人物的要求，已從過去狂熱地拚意識型態，轉變為要熱情地拚經濟。政治人物一定要知道，比政治更重要的是人民要過「好日子」。賴清德在近五百天的閣揆工作，對此深有感受。從政策制定到推行，為企業與民眾共創利基。

政治立場有藍綠之別，政治人物的施政則要超越對立，改善全體人民的生活。有這種抱負的政治人物，要被鼓勵，主張應當要被看見。

在當前民進黨與國民黨近十位政治領袖中，賴清德的聲譽及民調都名列前茅。這是他二十多年來一路從政所累積的資產。尤其在市長任內，多年連續獲得《遠見》雜誌台灣縣市長五顆星的榮譽。本書的第一部取名「承擔」，敘述閣揆的五百天；第二部取名「務實」，即細述市長第二任（二〇一四～二〇一七）內的建樹。

我們從本書中可以看出，賴清德於市長任內之勇於任事，重視操守：如取消議員分配款，如堅持選舉清白不進議會；在行政院長任內，堅持做他認為對的事，推展雙語國家與科技島嶼，為企業解決「五缺」，以執行力來提升台灣競爭力。

在兩岸關係上的主張，不僅受到重視，也引發爭議。他的論述包括了「親中愛台」，主權獨立；不能簽署兩岸協議；用文化建立台灣主體意識，稱自己是一位「務實的台獨工作者」。同時他也指出「台灣內部一定要先團結、步調一致，再向中國伸出友誼的手，以對話取代對抗，交流取代圍堵」，「若台灣的力量不分散，台灣一定可以愈來愈壯大，兩岸才可能趨於和平」。

我生在南京，十三歲到台灣，二十三歲去美國讀書。從一九五九年秋到達美國那一刻起，眼前真正看到了安定、自由、奮鬥、富裕的社會。從此，我最大嚮往就是「和平」，最強烈的厭惡就是「戰爭」。我要嚴肅地呼籲：「中國人不打中國人」變成世世代代的鐵律。我更要獻給台灣所有政治人物的是：

歷史上的功臣是化干戈為玉帛；
歷史上的罪人是化和平為戰爭。

留下紀錄與接受檢驗

就作者們在每一本書中的主張，我們尊重；如果因此引起的爭論，我們同樣尊重。我們一貫的態度是：以專業水準出版他們的著述，供社會大眾討論；不以自己的價值判斷來評論對錯。本書得以在緊湊時間內完成撰述，要特別感謝郭瓊俐的專業投入。

在翻騰的歷史長河中，蓋棺也已無法論定，誰也難以掌握最後的真理。我們所希望的是，每一位人物寫下他們的經歷、觀察，甚至後見之明。他們的貢獻，是為歷史留下紀錄；他們的挑戰，是在未來要接受檢驗。

二〇一九年四月

41

張善政

科技腦要進入國家決策高層

學與思

- 「科技人」的思維方式及工作態度：嚴謹、實證、創新、擇善固執、目標導向。是一個文明社會所重視的，能幫助全民向上提升。
- 二〇〇〇年後，台灣歷經多次選舉，動聽的選舉支票到底兌現了多少？未來也許應該多借重科技人才的實幹。
- 張善政所累積的專業知識，全力投入的工作態度，處理政策時的大公無私，博學又親切的個性，都使選民感受到難得的驚喜。

二十八年前的故事

一九九〇年的四月，《經濟日報》上出現一個邊欄，標題是：「李總統：立足台灣、胸懷大陸；孫運璿：充實台灣、協助大陸；高希均：改善台灣、轉變大陸」。邊欄中的頭三段文字是這樣寫的：「政府大陸政策的遲緩，不僅早已引起企業界的不耐，目前連『立足台灣、胸懷大陸』的指導口號，也遭到來自朝野的不同質疑。」

「在日前召開的國際企業領袖高峰圓桌會議上，經濟學者高希均表示，政府現階段『立足台灣、胸懷大陸』的口號，不僅過分浪漫、抽象，也十分消極；他建議應改為『改善台灣、轉變大陸』，以示更主動積極的態度，促使大陸走向自由市場經濟體制。高希均並建議，孫運璿、李國鼎、蔣彥士等早期指導台灣經濟發展的政策者，應辭掉總統府資政、顧問的職位，以個人身分前往大陸指導他們發展經濟，必可獲得很大的迴響。對於高希均的建議，在座的孫運璿、李國鼎並未給予正面答覆。」當時撰述這篇評論的是觀察敏銳的年輕記者康文炳。

二十八年過去了。當年所寫的「改善台灣」，大部分應有的改善交了白卷；

「轉變大陸」，此刻台灣還剩下哪些能力可以「轉變」對岸？今天大陸有近八個省分的GNP已經或即將超過台灣；深圳一地的稅收就超過了整個台灣。

因此，這也不使人驚訝，英國《經濟學人》在去年底估計：四小龍今年按當年幣值的每人所得，香港六萬六千百九百八十美元，新加坡六萬三千八百七十美元，南韓三萬五千四百三十美元，台灣最低二萬五千六百七十美元。

讓科技人才主導國政

台灣人民最需要感念的是在經國先生主政期間（一九六九～一九八八）那批財經功臣卻都擁有工程與科技專長——包括了尹仲容、嚴家淦、孫運璿、李國鼎、趙耀東……。他們創造了台灣經濟起飛的奇蹟。可惜自九〇年代中李登輝推動戒急用忍後，台灣經濟就沒有隨大陸經濟水漲船高。

細察那個年代的那些科技工程專才，都有五項鮮明的特質：

(1)一流的科技腦

(2)不可動搖的使命感

(3)任勞任怨的責任心

⑷鍥而不捨的執行力

⑸超越政治的中華情

就在此刻，二〇一九年春天，在兩黨熱烈提名總統候選人之際，出現了一位無黨籍的張善政。他就是一位理想中的科技領袖。「天下文化」剛出版了他的書：《做事的人——張善政的斜槓探索人生》。

沒有現代科技，就沒有現代社會。當然不是每個人都要做科學家或工程師，但至少要學習「科技人」的思維方式及工作態度：嚴謹、實證、創新、擇善固執、目標導向。一九九〇年代以後的台灣，民主選舉興起，法政背景的人才不斷前仆後繼地擔任國家領導人，從陳水扁、馬英九到蔡英文已達二十年之久。期間只有斷續地借重過劉兆玄、毛治國等幾位科技人才。

科技人出身的張善政，從台大土木系畢業後，赴美取得史丹佛碩士、康乃爾土木與環境工程博士。一九八一年歸國，做了七年的台大教授，後轉任國家高速電腦中心主任，接著轉往企業界，擔任宏碁與Google高層主管。二〇一二年放棄高薪受邀轉向公部門，由政務委員、科技部長、行政院副院長、到二〇一六年二月擔任了一百零九天的行政院長。正是這四個月的閣揆，使各界更聚焦地看到了他的溝通能力、決策品質，以及超越藍綠的氣度。

二〇一六年秋天在「華人企業領袖遠見高峰會」上，我們贈送「遠見傑出領袖獎」，肯定張善政先生樹立了科技人從政的風範。

能做對的事

在「人才不肯擔任公職」「政客才想進政府」的惡性循環下，這位擁有跨界經歷的大學教授、企業領袖、政府首長，卻是十分平易近人。從他的理性邏輯來說：角色調換了，薪資調降了，責任加重了，是那麼地理所當然。在現實社會中，真是不易找到這樣一位「做什麼，像什麼」的專才與通才。

實事求是，善於規劃，目標導向，使命必達，是工程師及科技人的專業性格。當前的張善政有實力與潛力對國家做出更多的貢獻。

二〇〇〇年後的台灣，在民主浪潮中，國家領導人都有強烈的法政背景，善於言詞、辯論、操作、算計；但怯於實幹、苦幹。動聽的選舉支票，無法兌現、落實。否則四年前怎會有柯P？四個月前怎會有韓流的出現？

難得的驚喜

本書執筆者吳錦勳花了一年的時間與張善政一起訪談。在他筆下，張善政從鍛鍊自己，充實自己，到回國獻身學術、企業及政府的具體貢獻，都有生動的記錄。

對選民來說，是張善政所累積的專業知識，全力投入的工作態度，處理政策時的大公無私，博學又親切的個性，還有週末假日花蓮小農的場景等，都使選民感受到難得的驚喜。

二〇一九年五月

42

蔡其昌
「做什麼，像什麼」的政治明星

學與思

- 很多人有種覺得自己「高人一等」，不能安於「平凡」的心態，歡喜享受特權，甚至急功近利、投機取巧的結果反而「聰明反被聰明誤」。蔡其昌「平凡但不要平庸」的人生哲學值得學習。
- 台灣社會亂象之一，就是很多「大人物」，公開說一套、私下做一套。在一個文明社會中，能夠「言行合一」，在自己的位置「做什麼像什麼」才是值得鼓勵的；蔡其昌是一個盡力做，求圓滿，務實前進的中生代明星。

「做什麼，像什麼」

「百層高樓地下起，英雄不怕路坎坷」，四十七歲的蔡其昌就擔任了中華民國立法院副院長。在台灣解嚴超過三十年的今天，這位最年輕的立法院副院長，不僅是對他個人才能的肯定，也是台灣民主政治的進步紀錄。

我與蔡副院長同為中興大學的校友，他是我們校友會的理事長，熱心又出色。我在一九五九年於台中農學院農經系（中興大學應用經濟系的前身）畢業。他出生於一九六九年台中清水，在台中得了完整的教育。先後在東海讀了歷史系的學士與碩士；又在興大得了財務金融碩士，並在財務金融所修博士。兩個大學的校訓：「求真、篤實、力行」與「誠樸精勤」，已反映在這位傑出的校友言行上。

這位政治明星的斜槓人生充滿了多樣性、挑戰性及成就感。他做過文學研究者、大學講師、政治人物助理、地方政府官員、國會辦公室主任、政黨發言人、媒體名嘴、立法委員、立法院副院長。他用日本職棒稱投球與打擊俱強的選手為「二刀流」，要求自己的人生是，但先決條件是自己不能平庸。在書中談到這些不同角色的轉換過程，讓我們看到了這位博覽群書的年輕人在每一個階段，所展現的旺盛生命力；並且做好了準備，再上層樓。

上天總會準備一份禮物給不同的人。送給蔡其昌的是我歸納出的六個字：「做什麼，像什麼」。

台灣社會亂象之一，即是各界的「大人物」，在公開場合，說的是一套；在私下場合，做的又是一套；分辨不清雙重人格下的真相。他們善於說大話，怯於做大事，更少大格局。能夠肯定的是：「說」什麼不等於「做」什麼；「做什麼」又「不像什麼」。

蔡副院長恰恰是「做什麼，像什麼」的範例。在大學教書時，前輩教授希望他留在學校發展；他擔任民意代表時，用心經營，與基層民眾站在一起，共同解決問題。他把學生時代的「後背包」一路揹上，從教學投入到服務選民。「後背包」是他從政的起步，一路走來也變成了「做什麼像什麼」的人生錦囊。

「平凡」卻「不平庸」

讀這本書，人生的指南針就是「平凡但不要平庸」。接受「平凡」，但不能「平庸」，需要自信與智慧。

社會上普遍的心態是：我的ＩＱ比你高；我與眾不同；我有比別人高明的想法與作法。因此自己不能安於「平凡」，所以要與眾不同的待遇，歡喜享受特權，甚至急功近利、投機取巧。政壇上有太多「聰明反被聰明誤」的不幸例子。多年前我就提倡過：有「平凡」的國民，才有「不平凡」的國家。

蔡其昌就是以謙虛面對生命的無常，以勇敢追求自己的壯志。在實際的公職生涯中，他可以「平凡」，做事卻是追求「不平庸」。

他三十歲擔任民政局長，三十五歲選上立委，四十七歲成為立法院副院長。他自我分析過：「我面對生命的態度比政治之路能走多遠更為重要。外界焦點總放在我是最年輕的副院長那一面，然而，我的真實生命裡，平淡比綻放多，失敗比成功精采數倍。」

這真是愈能平淡，才愈能精采。

從政初心追求圓滿

長江後浪推前浪。台灣民選出的三位總統都是台大法律系的，法政思維貫穿了他們的政治決策。現在選民們要考慮另一種選擇：讀經濟財務的、讀科技的、讀歷史的、讀社會的……也來擔當重任。

蔡其昌有歷史人的縱深視野、經濟人冷靜的腦、社會人溫暖的心，以及他接地氣的自我要求：「人的最終追求圓滿」。這位政治領袖對錯綜複雜的兩岸關係，提出了三個務實的信仰價值：民主、台灣優先、中華民國主權。讓我再延伸三個理念使它更完整：開放交流、和平互信、雙贏繁榮。

我特別期望蔡副院長用立法院副院長的影響力，做推動開放的中生代政治領袖。推動「開放」政策，先要剷除小格局思維。恐懼「有力團體」反對，恐懼「短期衝擊」太大，恐懼「意識型態」不正確。

台灣的「悶」經濟就是這「三個不敢開放」下的溫水經年累月煮出來的。此刻必須要讓我們的心智、思維、步伐、策略、創新、膽識來個徹底的解放。「保護主義」是「開放」的死敵；「防弊」則是「開放」的死巷。政府太歡喜管制，太不放心鬆綁。所有這些必須調整。

貫穿全書的是蔡其昌很多坦率的自我解嘲及經驗之談。選引六例：

- 學會跟自己好好相處、跟不帥的外表好好相處、跟我的瞇瞇眼好好相處。

- 走上政治之路，「不小心」成功了，但非常「小心」地努力，讓「機遇」變成奮發上進的「機會」。
- 「後背包」之於我像是初心，從不隱瞞自己的平凡，那是成長的養分。
- 生命中可以有很多的第一，我最想要孩子們拿到負責和閱讀第一。
- 若能好好善用權力，這世界會因為對的起點，而改變一些不公平的事。
- 有些人是跟你的權力與頭銜做朋友，不是跟你做朋友。

五十歲生日時，蔡其昌認真思考未來的路。他認為：「大善無我，孜孜其昌。獨善其身是小善，真正的大善是無我，政治之路也是修身養性之路，比起三十五歲的我，初心沒有改變，五十後的我更懂得存善念、盡力做、求圓滿。莫忘初衷，務實前進。」

有人說：「清水無魚」。但這個位在台中西北方的「清水」，人口不到九萬，卻出了不少耀眼的人才（朱經武、曹興誠等）。蔡其昌已拔劍出鞘，攀登事業的另一個高峰。

二〇一九年七月

43

黃健庭

從「台東不一樣」出發的台灣經驗

學與思

- 我們事業群對台東有很深的感情，長久以來我們透過演講與贈書等各種活動，一直關心台東教育的發展。
- 目前台灣太多的保護心態使政策裹足不前，讓台灣的競爭力在國際市場上不斷流失。心胸打開，視野擴大；相互合作而非排斥，「雙贏」就會產生。
- 黃健庭在兩任台東縣長任內，是真真正正實現了不白吃午餐的政績，為台灣樹立了另一個新的標竿。

台東縣長黃健庭於二〇一四年八月三十日出版新書《勇敢不一樣》，他在新書發表會中，回想四年前要推動台東「學童免費午餐排富」，實在是天人交戰的選擇。這個主意當時立即引起家長們的強烈反彈。「如果你一定要做，等到第二任。」一位好友向他說。這位在美國念過MBA又擔任過財務管理的縣長，知道錢要用在刀口上。

台東真的不一樣了

但決定推動排富之後，縣府財政從一年二點二億的支出降低到八千萬，每年省下的一億四千萬，即可用以改善學校急需改善的小工程（從廁所、教室到操場跑道）。實施三年後的調查顯示，四分之三的家長是支持當年的排富條款。另一個措施是將市區以前免費的停車位置，改成收費，當然也遭到反對，但後來也是多數贊成。

不要小看這二個「台東經驗」，再自私的選民，如有一位有溝通能力的首長能夠講清楚，說明白，選民是聽得進去的。比之每人所得較低的台東，其他縣市的人民應當更有能力接受福利排富。

這就是前台東縣縣長黃健庭先生腳踏實地、扎實做事、善於溝通的執政經驗。縣長任內，他是《遠見》雜誌縣市首長表現調查的五星首長，這是最高的評價。台東縣在他兼顧經濟與環境的施政之下，幾年下來，已呈現欣欣向榮的氣象，而他的夫人陳怜燕女士，更是台東孩子們口中的「小燕阿姨」，充滿活力，全心投入公益，台東縣能有他們兩位的奉獻，變成了一個充滿希望的地方。

「仔細回想黃健庭人生的每一步，都在為成就台東這九年的蛻變做準備。二十六歲讀完碩士開始工作，累積十年國際企業管理經驗、二十七結婚、三十一歲當爸爸、三十五歲離開安逸舒適的美國搬回台灣、三十七歲辭去金融界總經理的工作返鄉從政、四十二歲擔任立法委員、五十歲擔任台東縣長。這一位不像政治人物的縣長，帶領一群不像公務員的隊友，打造出很不一樣的台東。因為他的無私和遠見，讓公務員敢做事、台東人敢做夢。」夫人陳怜燕女士的近身觀察，給了我們台東經驗的見證：

有沒有一個政治人物，可以不做散財童子而贏得選舉？

有沒有一個政治人物，可以不亂開支票，心口合一，言行一致？

有沒有一個民選首長，可以用人和施政都超越藍綠？

有的，黃健庭可以。

二〇一三年十一月遠見・天下文化事業群邀請兩位以色列諾貝爾獎的得主尤娜特（Ada Yonath）教授與戚凱羅（Aaron Ciechanover）教授來台演講。經過近一週的參訪，他們都非常喜歡台灣，而且特別提出很希望有機會去台東與花蓮走訪。他們這樣的嚮往，並不使人意外，因為台灣東部之美，早已馳名中外。

開放是「不一樣」的關鍵

我們事業群對台東有很深的感情，長久以來我們透過演講與贈書等各種活動，一直關心台東教育的發展。二〇一三年十一月，我受邀在台東校長們的會議中，做了一次演講，主題是「教育是進步的動力」。我一再強調「開放」的重要性，目前台灣太多的保護心態使政策裹足不前，讓台灣的競爭力在國際市場上不斷流失。在這一時刻，當我讀到《「黏」在臺東——十二位台東「心」移民的故事》，這本書雖然是在透過移民台東的人來描述當地的美好，但其中更反映台東歡迎外來朋友的「開放」態度與熱情，以及因「開放」而帶來的機會與進步。這裡要指出，「開放」不等於「開發」，更不是「過度開發」。

本書中十二位台東「心」移民，個個都有精采的經歷。其中有些剛好是我相識的友人，如公益平台基金會董事長嚴長壽先生、前輩藝術家江賢二老師、文學家席慕蓉老師、朱宗慶打擊樂團創辦人朱宗慶老師、唱片設計家蕭青陽先生、肯夢國際創辦人朱平先生、裝置藝術家賴純純老師等。我相信台東的人情與地貌，想必給了他們許多新的創意與生命力；而他們的移居，也帶給了台東新的想像與活力。

跟隨著他們的腳印，向他們的生活體驗學習，向台東走向開放的過程學習。當地人與外地人都把自己的心胸打開，視野擴大；一面接納外來的居民，一面溶入本土的文化，彼此分享而非獨占，相互合作而非排斥，「雙贏」就會產生。

創造「雙贏」環境，除了上述發生在台東的民間力量，黃健庭在縣長任內，就如前行政院長毛治國所說的：「要成就不一樣的事業，必須找對的事來做，還要用對的方法把事情做好。黃健庭不只懂觀光，在領導上他有自己的風格，而在其他的施政上也同樣顯示出他理念的堅持，以及在策略上的洞察力。」

政壇的稀有品種，不白吃午餐

「白吃午餐」一詞是二十世紀大學者傅利曼教授在一九七〇年代提出推廣。他曾說：「我的經濟理念可以一句話概括：There is no such thing as a free lunch.」一九七七年我利用休假回來，在台大商學研究所授課，在那段時間寫了一些傳播進步觀念的文章，「天下沒有白吃的午餐」在台灣引起熱烈的反應。

再度引用毛治國的讚賞：「黃縣長健庭兄是政壇的稀有品種，是一位可寫入公共行政教科書的標竿人物。」我要進一步地說，黃健庭在兩任台東縣長任內，是真真正正實現了不白吃午餐的政績，為台灣樹立了另一個新的標竿。台灣小確幸的存在，或許正因為政府提供的「白吃午餐」無所不在；但只要我們堅持開放與改變，帶給「台東不一樣」的，也能帶給台灣更大的幸福。

二〇一四年八月

第四部

八〇年代走訪文明掙扎中的共產世界

自由之可貴，不在於它與生俱來，而在它一度失去之後，再度享有時，才會真正地體會到自由的真諦。

八〇年代實際走訪當時在共產主義控制下的蘇俄、東歐鐵幕國家波蘭、匈牙利，切身感受到一個國家的政治和經濟，對國民的生活以及民主自由，會產生多麼巨大的影響！

蘇　俄——蘇俄共產政權的病根主要來自軍事上的全面擴展、政治上的全面獨裁及經濟上的全面控制。這些做法犧牲了人民的生活水準，扼殺自由與民主，造成施政上的低效率與大浪費……。

波　蘭——波蘭人信仰虔誠，加上熾熱的民族主義和倔強的個人意識，讓政府多次修改馬克思路線及其經濟政策，因為他們要追求的生活水準與生活方式不是要高過蘇俄，而是要接近西方世界。

匈牙利——匈牙利被稱為多瑙河之后，以當年的國民所得來說，匈牙利低於蘇俄及波蘭，但個人的觀察：布達佩斯人民實際生活要比莫斯科好得太多，也比華沙要好些……。

44

一層霧、一道牆，但不是個謎

學與思

- 八〇年代的蘇俄政府曾經宣稱共產制度可以讓民眾免於通貨膨脹、失業、勞工剝削之苦，讓人民可以過平等的好日子，但真實的狀況究竟是如何，真相不能只靠官方片面的宣傳。
- 若要避免走馬看花式的訪問，以探究出事物的真相，可以從哪些方向著眼？

沒有去蘇俄以前，對蘇俄的了解似乎總是隔了一層霧，在蘇俄的停留中，由於種種限制，似乎處處碰到了一道牆，但離開時，雖然我對蘇俄的了解仍然有限，但它已不再是一個謎。

一個月的私人旅行

對生活在西方世界裡的人來說，去蘇俄旅行不是能不能去的問題，而是值不值得去的考慮。今年春天，我在蘇俄及二個東歐國家：波蘭與匈牙利，進行一個多月探索經濟制度的旅行。主要是想對這三個國家的經濟運作、社會福利及人民生活做深一層的了解。尤其自一九七九年十二月蘇俄出兵阿富汗之後，美俄關係進入一個新的對峙局面。在所謂「低盪」政策名存實亡下，使自己的這次實地觀察，似乎更增加了一些意義。

自由世界三種經濟制度

就經濟制度而言，自身經歷過也研究過三種不同的型態：中華民國在台灣的民生主義、丹麥的社會主義與美國的資本主義（此常被稱為「混合型的經濟」）。

儘管這三種型態有相同與互異之處，但其結果都是：人民的生活日趨富裕，社會福利日漸增加，經濟自由受到尊重。而造成這一現代化生產與大量消費社會的主要政策，既不是生產工具國有，也不是全盤計劃經濟。基本上，這三個型態是建築在私有財產、私人企業、市場經濟，及政府的現代稅收與福利政策上。

但是資本主義型態的美國經濟近年來遭受到強烈的攻擊。一般人對這個制度的信心也陷入了自一九三〇年代經濟大恐慌後的最低潮，當前美國棘手的經濟問題包括了通貨膨脹（約在十八％）、失業（接近七％）、國際收支逆差、能源供需、軍費支出與社會福利等。這些問題——尤其是通貨膨脹，已變成今年美國總統大選最重要的一個內政辯論課題。

蘇俄的共產制度

相反的，另一個截然不同的經濟制度——以蘇俄為主的共產主義，根據它們官方的宣佈，似乎正有聲有色地在成長，同時也被新興的開發中國家所模仿。越南與阿富汗就是進入蘇俄軌道的兩個最新例子。

蘇俄政府宣稱，在共產制度下：

●沒有通貨膨脹。
●沒有失業。
●沒有貧富差距。
●沒有勞工的剝削。
●沒有男女的不平等。

同時，在這個制度下，政府提供：

●免費的教育、醫療及退休金。
●低廉的住宅、水電及大眾交通工具。
●低廉的生活必需品、托兒所、及影劇等的觀賞。

而更使人驚訝的是：蘇俄在軍事及太空上已經與美國分庭抗禮，變成另一個軍事強國。最顯著的一個指標，是在戰略性的飛彈及轟炸機方面：一九六九年時，美國幾乎占有二比一的優勢，但是到了一九七九年，美國擁有的總數為二一四一，蘇俄後來居上擁有二五八二；若把華沙公約與北大西洋公約的國家納入相比，蘇俄及東歐在坦克車、重砲、核子武器發射台方面也占優勢。

放眼世界，我們所看到的似乎是美國處處在忍氣吞聲，蘇俄則氣焰萬丈。如果美國真是這麼弱，這麼糟，蘇俄真是那麼強，那麼好、豈不是今後共產制度真的將變成人類希望之所寄嗎？

多餘的憂慮

環繞著這些問題的憂慮，正是引起我去那邊訪問的主要目的。也將是一系列短文中的討論主題。我將盡量以蘇俄、波蘭及匈牙利人民的實際生活做為討論的主幹。從其他專著及自己的觀察中，我的結論是：這個制度從經濟層面來判斷是低效率的，優先次序混淆的，沒有經濟自由的，剝奪了人民工作意願的，有特權階級的，而且是不公平的。

哪一個國家模仿蘇俄這個制度，那個國家就得到同樣的，甚至更壞的結果。反之，如果在共產制度下，哪一個國家能夠漸漸幸運地、勇敢地脫離它僵硬的教條，那個國家就會有較好的經濟成長，如一九六八年的匈牙利。

凡是有機會去蘇俄參觀過的人，我相信一定會更了解蘇俄的經濟制度是有先天的缺陷與後天的失調。

它既無法與其他三種制度競爭，更不可能來代替它們。令人憂慮的不是它經濟制度的優越性，而是共產政權本身欲達目的不擇手段的侵略性與擴張性。

到蘇俄旅行最大的痛苦，還不是在於語言、食物、缺乏現代化設備方面的限制，甚至也不在於交涉事情時的拖延，以及處處缺乏效率的遭遇，而是在政府有形與無形的控制下，人民不敢經易與外來的陌生人直接交談。「九個空位」與「一次朋友」廣為人知的例子是巴特摩太陽報記者潘克司（Michael Parks）的親身經歷。他要到莫斯科九百哩外去訪問一個美國的展覽會，但蘇俄政府只允許他離開莫斯科一晚。次日回來時，蘇俄航空公司超賣機位，他無法趕返官方又不准他再多留一天，結果幾經磋商，航空公司強迫九位旅客下來讓他搭機。「為什麼要九個旅客下來呢？」因為機艙內一排有三個位置，他被安置在中間一排的當中，不要讓他與前後排的六個位置及左右二個位置的蘇俄人交談。

到蘇俄旅行的人常發現：昨天仍在一起喝伏特加酒談得很投機的朋友，怎麼今天就變得像陌生人了？久而久之，西方人稱這種朋友為「一次的朋友」。一位蘇俄人的解釋是：「你現在已經發現鐵幕不只是東德的牆，波蘭及捷克邊境的鐵絲網，而就在莫斯科，就在你身邊。你可以住在這裡很久，仍然對蘇俄人民真正的生活一無所知。政府控制是無所不在。在某一個晚上你可以與他們聊天喝酒——特別如果這是一種偶遇。但是到了第二天，他們仔細一想還是不要再與西方人往來，麻煩太多了！」

旅行中缺少了與當地人民自然接觸的機會，就如吃中國飯不准用筷子——若有所失！蘇俄政府只想把旅客放在它預先安排好的圈圈內，這樣不僅可以賺取旅客的外匯，同時還要他們接受共產政府的宣傳！這是多麼天真的如意算盤！

集體農場與新社區

在莫斯科、列寧格勒及愛沙尼亞共和國首都塔林（Talinn）的參觀，是與威斯康辛大學的蘇俄訪問團同行，都是官方的旅行機構安排的。在波蘭與匈牙利的訪問則是筆者自己安排的。蘇俄的安排是以參觀建築為主：從歷史上富麗堂皇的皇宮、博物館、克里姆林宮、歌劇院，到較新的莫斯科大學、奧林匹克競技場以及社區。它的安排是儘量減少與蘇俄人民的接觸與交談。我告訴一位蘇俄友人：「蘇俄政府引以為傲，要我們參觀的全是一九一七年十月革命以前的東西，避免我們參觀的則全是革命以後的，如農場、醫院、住宅。」參觀集體農場與新社區可以當作兩個很好的例子來說明。

這個位於塔林附近的薩庫（Saku）示範農場占地八千四百公頃。有四千餘頭肉牛、一千五百頭乳牛，並生產馬鈴薯。當我們抵達農場時立刻被引進一個會議室，接著就是一個二小時的口頭簡報，然後是半小時的對答與半小時的歡迎節目：舞蹈。所接觸到的是三個人：農場主任、副主任及翻譯人員。既不讓我們看農場的土地耕作、機械、倉庫、牛舍等，也不准我們與農民交談。（事實上那天是禮拜三，我們真不知道幾百位農民躲到哪裡去了？一位朋友說：「一定放公假。」另一位朋友說：「那麼怎麼也見不到一頭牛呢？」）與一九七二年參觀東德集體農場時的經驗完全一樣。農業不是共產國家體面的事業，因此蘇聯當局要盡一切力量掩飾它。

「住」一直是蘇俄政府另一個頭痛的問題。例如要在莫斯科配到一個二間臥室的公寓，平均時間至少要苦等五年。由於「住」是這麼困難，在都市的年輕人不得不遲婚，結了婚後又不敢生孩子；夫妻感情不好也不敢離婚，離了婚後一方可能沒有地方住。結了婚的子女常常不得不與父母同住；好幾戶也不得不在一幢房子內共用廚房、浴室（所謂「公社住宅」）。因此發展新社區，擴建住宅變成蘇聯人民最迫切的要求。

在塔林城外五里，參觀蘇俄政府十五年來蓋建的可容納近十萬人的新社區。由於每戶的平均面積狹小，建築本身粗糙，家庭中缺少現代化設備，當地政府一再拒絕我們想參觀典型蘇俄家庭的請求。最後讓我們下車看社區中的一個超級市場。裡面的東西實在有限，沒有新鮮的水果、蔬菜、魚肉，幾乎是清一色的粗糙罐頭及家庭用品，相當於一個面積稍大的雜貨店。嚮導不得不補充：「要買好一些新鮮的東西，他們要進市區。」在蘇俄，衣食住行四大類中，除「行」以外，人民既穿不到好的衣服，也吃不到好的食物，更住不到好的房子。

蔣總統在一九七五年的日記中，描述四十年前在蘇俄結婚後的一段生活：「……居一小間內，只能容一床一桌，每為臭虫所擾，夜夜不得安眠。一月難得配給肥皂一塊，一週難得有一小塊牛肉吃，我夫妻皆自食其力。雖苦難而值得回憶。」（列寧多年前講過，「不是臭蟲打敗社會主義，就是社會主義戰勝臭蟲。」）四十年來，蘇俄人民的生活稍有改善，但實在太慢太少！現在還是太苦！

良知的挑戰

蘇俄政府只讓訪問者看它認為應當看的地方，聽它認為應當聽的話。如非訪問者自己事先有周密的準備及私下謹慎的安排，其結果只是花了自己的精力與時間，親自去接受一次官方的宣傳而已！這就是為什麼大家對一些西方人士去共產世界以後所作讚美的報導常常心存懷疑。因此，到一個完全受到政府控制的社會去參觀訪問，是心靈上的一個重擔。參觀以後發表的觀點更是一項良知的挑戰——因為它必須忠實，不為政治及個人利害所左右。

我行前曾與多位蘇俄問題專家商談以及熟讀他們的論著。希望能避免走馬看花式的訪問常犯的兩種錯誤：

(1)以有限的經歷來作廣泛的推論。

(2)以早已定型的結論去尋找支持的例證。

前者以偏概全，後者先入為主，都不是一個從事研究者應有的態度。我相信：一位有學養的歷史學者，毋需生活在羅馬帝國，照樣可以寫出出神入化的羅馬帝國興亡史。正如國內一些有成就的蘇俄問題專家，不一定曾到過蘇俄。我只希望自己靠行前的準備，現場的觀察及事後的分析，在討論蘇俄問題時，多多少少克服了霧的模糊，牆的阻擋，以及謎的困惑。

一九八〇年五月

45

蘇俄政府的惡夢成真

——美國拒絕參加莫斯科奧運

學與思

- 一九八〇年的奧運，因蘇聯進兵阿富汗，使得美國、西德、加拿大及其他主要國家拒絕參加，蘇聯當局卻扭曲報導，說成美國總統卡特為了要贏得選舉，故意在國內製造緊張氣氛，不准運動員來莫斯科比賽，隻字未提阿富汗……但蘇俄人民卻都信以為真。為何在共產世界，人民這麼容易相信官方的說法？
- 沒有新聞自由的地方，距離文明顯然還有很長的路要走。

主客不來了

一九三六年奧運在柏林舉行。希特勒要證明德意志民族的優秀，希望囊括主要競賽項目的金牌。沒有料到來自美國二十三歲的年經黑人歐文司（Jesse Owens）獨占四項金牌——一百公尺、兩百公尺、四百公尺接力及跳遠，儘管希特勒拒絕與他握手，但他的紀錄粉粹了希特勒「人種優越論」的神話。

一九八〇年七月奧運將在莫斯科舉行。蘇俄政府於去年十一月向人民宣稱：「在世界上第一個社會主義國家的首都舉行奧運，是證明世界各國了解這一項歷史上的重要性，蘇俄外交政策的正確性，以及蘇俄對世界和平的偉大貢獻。」

一九八〇年三月美國總統在白宮之東廳向參加奧運會的美國運動員說：「我不能告訴你們哪些其他國家的運動員不會去參加，但是讓我毫不遲疑的告訴你們：我們的運動員不去參加。」卡特進一步說明這是對抗蘇俄進兵阿富汗的政策之一。

四月六日在莫斯科讀到英文的《莫斯科新聞週報》上面有一個動人的標題：「奧運會主人宣布，餐桌已經準備好。」文中說明一四三個委員國家中，已有一

○五個表示要來參加比賽。

美國之拒絕參加奧運，正如一個主人在盡其所有把餐桌準備好了以後，主客突然公開宣布不來了。這個地主國，目前正陷入被羞辱後無可奈何的窘境中。

炫耀心態

尼克森一九七二年二月訪問大陸杭州時，中共為了炫耀人民生活水準，臨時借給遊客及路人一些袖珍收音機，後來被新聞記者發現，使得周恩來很難為情。我們中國人稱之為「愛面子」或者「裝門面」。

同年五月尼克森訪問蘇俄，蘇俄政府做得更徹底。莫斯科把他要經過的整條舊街的建築物拆毀，住在裡邊的居民遷走，馬路拓寬，加上新的草皮。當地人民戲稱這是「尼克森廣場」。蘇俄話稱之為Pokazukha，可譯成「炫耀」。

蘇俄歷史上有所謂「波鄧金村」的故事，波鄧金是十八世紀的俄國將軍，為了要使出巡的凱瑟琳女皇二世相信俄國南部富庶，他以鮮豔的色彩，畫出村莊的繁榮，製成巨畫排列路旁，使這位近視的女皇信以為真。據說，夜間這些偽造的假畫，還會再遷移至次日女皇要出巡的地方。

為了要趁這次奧運來炫耀共產主義的成功，而同時要避免現代的「波鄧金村」，蘇俄政府正傾力要把莫斯科及觀光客常去的幾個城市打扮得一乾二淨，但是清除六十餘年來積存的塵垢又談何容易？這時候蘇俄政府也許會想到：如果每一個博物館、醫院、學校、商店、公寓、劇院、餐廳、旅館不完全是國有的話，這個整修的工作該多輕鬆！正因為蘇俄這麼急切的想向全世界——尤其美國——炫耀，當美國拒絕參加時，蘇俄的失望以及憤怒該是多麼的強烈！

六十年來的大掃除

四月初的莫斯科仍然沒有春意，氣溫浮沉在零度與五度之間。雪在開始融化，地上濕淋淋的，人行道居然也泥濘不堪，路邊的積水隨處可見，寬大的十線馬路上有電車、公車及稀疏的私有車輛。但兩旁的建築雄偉、整齊，沒有商業廣告，只見一些宣傳性的壁畫與標語。穿著冬裝、戴著厚帽的蘇俄人民表情嚴肅而匆忙。莫斯科給人第一個印象是：它有一個大都市的氣派，但是沒有色彩，沒有生氣，立刻使人感到蕭瑟與窒息。

蘇俄人民與我們這些短期的訪客一樣，盼望著暖和的陽光，因為他們有各種重大的工程要如期完成，它們的成敗影響到他們國家的榮譽與民族的驕傲。這些工程不僅包括了奧運的各種競技場、通訊設備、奧運村，同時更費心思的是要把凡是觀光客可能參觀的地方都予以裝修、粉刷或掩飾。這就包括了主要的皇宮、著名的博物館、歷史悠久的教堂，以及旅館、公園、動物園、市政府、學校、醫院、主要街道兩旁建築的屋頂、門、牆、窗。

參觀克里姆林宮時，圍城內的幾個著名的皇宮及教堂，都正在整修中，謝絕參觀。紅色廣場的東邊，也就是著名的史巴斯基碉樓及城門，右側就是圖片上最常見到的巴賽教堂（Basil's Cathedral）。這個十六世紀建造的教堂也正在翻修中。奧運村在興建中，只能在外面看看。幾個第一流的旅館在粉刷中，部分開放。列寧格勒及塔林（奧運將在此賽船）兩城中著名的建築外面都搭上鷹架，工人在忙著趕工。我們一次又一次的被拒於門外。蘇俄的嚮導尖刻的說：「現在來蘇俄參觀是最壞的時候，一切都在裝修，七月份是參觀最好的時候，那個時候你們為什麼不來？」

為了做奧運的地主國，蘇俄人民不得不做很多犧牲，投入了大量的建築材料與人力。奧運期間，蔬菜與肉類都要讓給運動員與觀光客。蘇聯政府還訓練了四十五種不同語言的一萬名翻譯人員。當地的旅館、餐館、咖啡廳要擴大一半的容量，蘇聯自己要派遣一個五百九十名的龐大代表團，參加每一個比賽項目，並且比賽前後要把莫斯科城內的小孩、三十萬左右酒徒及不良份子打發到別處去「度假」。蘇俄之奧運代表相信：「奧運不僅是運動上的一件大事，而且也是人類走向和平的一個里程碑。」因此財力的支出與人民的犧牲是值得的。

在華沙時，一位波蘭經濟學家告訴我：「為了莫斯科的奧運，我們的建築材料與肉類早已開始運到蘇俄去了，幸好奧運是四年一次，同時在本世紀內再也輪不到蘇俄了！」

在蘇俄政府的心目中，奧運象徵著「第一個社會主義國家」皇冠上新添的鑽石。透過六十年來的一次大掃除，要使它光芒四射。沒想到因為進兵阿富汗，使美國、西德、加拿大及其他主要國家拒絕參加，使奧運頓時黯然失色！這是卡特主政三年餘以來少見的一步好棋。

蘇俄人民蒙在鼓裡

蘇俄官方的英文週刊最近幾期都大幅報導奧運籌備在順利進行中，以及決定來參加的會員國愈來愈多，他們盡量在為自己打氣。與蘇俄朋友交談，他們沒有一次不提到：「為什麼美國不來參加奧運？為什麼美國要把政治與體育混為一談？」從他們的語氣及表情中，我體會到他們的迷惑。

蘇俄人民從官方控制的報導中取得的訊息是歪曲的，官方的報導大體是這樣——卡特為了要贏得選舉，故意在國內製造緊張氣氛，並在各地加緊冷戰及干預，因此不准運動員來莫斯科比賽，這樣可使美國人民真的相信在國際危機中不能中途換帥，必須讓卡特連任。儘管這個說法多麼牽強，同時隻字不提阿富汗，但是蘇俄人民都信以為真。從這個事件中使我相信：沒有新聞自由的地方是多麼可怕！

比賽期間，將有二十六萬人現場參觀運動會，美國分攤到兩萬張票，但這些票據說已經在二月份退還。

從美國官方立場看，蘇俄人民遲早會知道美國一月二十日宣布拒絕參加奧運的真正原因，是他們政府之進兵阿富汗。美國知道：它之不參加，正如一位不滿意蘇俄政府的蘇俄人所說：「沒有美國運動員與星條旗，莫斯科的運動會就不是奧林匹克了。克里姆林宮的一切努力與夢想中的光彩完全化為烏有。」

歐洲一位專家指出，蘇俄進兵阿富汗時的估計是：在伊朗人質及國內選舉的壓力下，卡特不會武力阻止。但是蘇俄就怕美國以不參加奧運來對抗。因此當莫斯科最擔心的惡夢變成了事實之後，蘇俄官方對卡特的攻擊是前所未有的強烈——麥卡錫主義的復活、國際勒索、違反基本人權等。

卡特的這個決定得到了大多數美國人民的支持。四月間蓋洛普的民調顯示，六九％的美國人民贊成拒絕奧運（一月份時為五六％）。目前看來，除非奇蹟出現——五月二十四日前蘇俄軍隊自阿富汗撤走，否則美國政府不參加奧運之態度不會改變，但運動員違反白宮政策，以個人名義個別參加的可能性仍然存在。

以幽默著名的專欄作家包可華建議，不妨在美國愛達荷州的莫斯科城（完全同名）舉辦一個夏季奧運會。廣播員可以理直氣壯的說：「現在正在莫斯科現場，為您播報夏季奧運……。」

一九八〇年四月

46

一個解不開的結
——「蘇俄模式」是到奴役之路的捷徑

學與思

- 蘇俄政權的病根主要來自軍事擴展、政治獨裁及經濟上的全面控制，這些措施犧牲人民的生活水準，扼殺自由與民主，造成低效率與大浪費，值得警惕。
- 若仔細審視蘇俄政府最自豪的三大建樹：工人階級、免費的醫療和豪華便宜的地下車，就能發現其中的華而不實，很多所謂的「政績」不能只看表面。

用腳投票

在蘇俄統治下生活的人，沒有辦法靠投票來反對政府。極少數勇敢的、幸運的人，冒了生命的危險，越河、渡海、跳牆、駕機，以及其他各種方式投奔自由世界——所謂「用腳來投票」。

在「第一個社會主義國家」的蘇俄，儘管在它嚴密的控制下，仍然有幸運的、勇敢的漏網之魚。著名的幾個投奔自由的蘇俄人物是：

- 一九六一年國際聞名芭蕾舞星紐瑞耶夫（Rudolf Nureyev）
- 一九六七年，史達林之女。
- 一九七四，索忍尼辛被放逐出國。
- 一九七六年，貝林可（Viktor Belenko）駕米格二十五機投奔日本。
- 一九七八年，前紅軍少將葛雷格倫可（Pyotr Gvigorenko）。

這些人投奔西方的最終目的地都是美國。

如果蘇俄真是一個自由、平等與進步的社會，怎麼可能有這麼多人要奔向自由世界？反之，我們曾聽說過哪一位美國著名的或者不著名的人物投向蘇俄？

十個基本問題

依我看來，蘇俄政權六十年來的病根，主要來自軍事上的全面擴展、政治上的全面獨裁及經濟上的全面控制。由於軍事擴張，不得不犧牲人民的生活水準；由於政治獨裁，勢必扼殺自由與民主；由於經濟控制，不得不接受它所造成的低效率與大浪費。

蘇俄不僅向其人民誇稱經濟上的成就，也全力向開發中國家誇稱它經濟策略之可取。下面提出的十個基本問題，值得對共產制度有任何幻想的人深思：

- 為什麼蘇俄還要向美國及西歐購買技術、糧食及貸款？
- 為什麼蘇俄人民還要排長龍來購買生活必需品？而且為什麼還經常買不到？
- 為什麼蘇俄人民看不到西方的書報與雜誌？為什麼政府怕他們與外界的人民接觸？
- 為什麼總有蘇俄著名的演員、舞星、體育明星、作家、科學家等投奔西方世界，尤其是美國？

- 為什麼蘇俄的工人常常抱怨，婦女覺得不平等，社會福利措施的設備與服務惡劣，特權階級流行？
- 為什麼抄襲「蘇俄模式」的國家，其經濟狀況是每下愈況，如最近的古巴。
- 為什麼蘇俄政府那麼厭惡美國，但蘇俄人民那麼喜歡美國，要模仿美國的一切，如牛仔褲、熱門音樂？
- 為什麼蘇俄國內還有那麼多已經享受特殊待遇的著名的科學家與作家，冒著生命的危險批評共產制度？
- 為什麼今天蘇俄水準與西方世界相差更遠？
- 為什麼蘇俄還要不斷地擴充軍備，犧牲人民的生活水準？

二種制度的比較

美國的經濟制度當然也有它的缺點，如經濟起伏帶來的通貨膨脹與失業；如特殊利益團體（如工會、大企業）帶給政府的壓力；如追求個人利益的過程中忽視社會成本與社會責任。但是這些缺點較之共產制度要人道得太多，緩和得太多。

讓我們把共產主義下的蘇俄與東歐及市場經濟下的美國、西德與日本做一個事實的比較（參閱下表中之每人生產毛額）。戰後遵循市場經濟的西德與日本，其經濟成就令所有國家羨慕。能源危機以來，這二個大量輸入石油的國家仍然享有高成長率與低通貨膨脹率。三十年前，日本的經濟約為英國的三分之一強，今天日本的毛國民生產居然超過了英、法二國的總和。而一九七九年德國的每人所得（九六〇〇美元）與美國（九七〇〇元）幾乎完全一樣。

如果我們再介入「政治自由」的因素來比較兩種制度，其優劣更明顯。美國、西德、日本不僅享有高度的生活水準，同時也享有最多的政治自由。市場經濟與政治自由是不可分割的。

一九七六年各國國民生產毛額與政治自由指標

	美國	西德	日本	蘇俄	東德	捷克	波蘭	匈牙利	南斯拉夫
每人生產毛額（美元）									
政治自由指標（100最高）	100	100	92	8	25	8	25	25	25

資料來源：1978年3月13日《時代週刊》

註：我國的每人生產毛額和政治自由指標各為1070美元與42，中共為410美元與17，共產世界用一切方式——包括情緒上的激發（愛國家、愛主義），心理上的鼓勵（頒發勳章、享受特權）及實質上的駕馭（全面控制、全面計劃）——來發展經濟，其結果是人民的生活水準一直趕不上西方世界。而西方世界所憑靠的二個主要工具，就是私有財產與市場經濟。

蘇俄統治下三實例

上面綜合性的比較，還不能完全顯現出他們的落後，我們再來看蘇俄政府最自豪的三大建樹：工人階級、免費醫療和豪華便宜的地下車（編按：即今天的地鐵）。稍作分析後會發現；即使這些建樹，也是表面的誇大勝過實際的成就。

(1) 蘇俄的工人

蘇俄官方公開承認當前工廠有四個大問題：

- 工人缺少自動自發及敬業精神。
- 工人請假及曠職之缺席率太高。
- 工廠的工作環境太差。
- 不滿意的工人經常調動，離職率太高。

近年來總書記布里茲涅夫特別強烈譴責愛請假、不肯上班、歡喜調職的年輕工人。據一個工會刊物《勞動報》（*Trud*）報導：工人平均一天在上班時常常閒聊一小時，聊天愈多，牢騷愈多，影響工作的效率愈多。

據估計在非營業部門一億二百萬人當中，每年有二〇％換工作，其中三分之二是在三十歲以下。換工作的主要原因是住處太差、工資太低、工作性質太苦。在西伯利亞西邊的一個鎮中，大部分勞工是婦女，她們要調工作的最大理由是：當地缺少男人。由於工作交換所引起的生產損失一年超過四十億美元。

工人請假及曠職大都在發放工資之後，每個禮拜一缺席率也高。酗酒是蘇俄當局最頭痛的一個大問題。蘇俄專家估計，因酗酒而影響的生產損失每年約在三十百五十億至四百億美元之間，這個數字超過了政府的酒稅收入。最令主管當局氣憤而難堪的是四〇%酗酒是在上班時間發生的。工作的單調是酗酒的主因，尤其是小城鎮裡缺少其他的娛樂。

一位蘇俄工人說：「蘇俄是工人的天堂——偷懶的工人的天堂。」

(2) 免費的醫療

到過蘇俄的友人告訴我：「在蘇俄旅行最可怕的二件事情是：遺失了護照以及在蘇俄生病。」蘇俄的免費醫療到底怎麼樣呢？

美國的一位著名外科醫生，親自到蘇俄實地觀察以後公開地說：

——蘇俄的醫療制度比美國落後四十五年。設備、氣味，就像美國三〇年代。病房通常沒有找護士的電鈴、洗手間、可調整角度的床，更談不上電話與電視機。

——蘇俄開刀的程序與四十年前相似，如疝氣開刀後，當天我們就要病人下床走動，但在蘇俄，病人要在床上躺上二個禮拜，結果把病人變弱，有時還會引起其他病症。

——蘇俄醫生的社會地位很低，原因之一是待遇差，待遇差的原因主要是大部分是女性。

此外西方專家也指出，藥物的價格很便宜，但常常買不到，因為常缺藥，醫生只好退而求其次，開市場上可以買到的藥。病就不容易立刻醫好，較好較貴的藥物只有在特殊階級的醫務室中才看得到。

因為看病完全免費，而生病又可請公假，所以常常被濫用。同時，政府經費有限，造成設備落伍，藥物不夠，醫生工作時間長，看病馬虎。如果要得到較細心的治療，病人仍不得不私下找醫生送紅包。

(3) 豪華便宜的地下車

到過蘇俄的人都稱讚莫斯科及列寧格勒的地下車是全世界最豪華而又最便宜的。我坐了五次之後，也同意這個看法，但要加一個重要的附註：豪華得過分，便宜得沒有必要。一位蘇俄朋友對這個不相稱的成就大概有些不好意思，告訴我：「戰爭期間我們的犧牲太大，痛苦太多，政府決定要造地下車來慣壞我們。」

車票相當於美金七分（台幣二．五元）全世界沒有比這更便宜的地下車了。每一個地下車站的裝飾與布置都講究且有變化。大理石的牆與地，陳列了雕刻人像與大幅掛畫。吊燈大而亮，簡直是一個地下博物館！車站內當然沒有商業廣告，非常整潔。上下班時間不到一分鐘就有車來，儘管這樣快速，但我搭乘時每一節車廂仍擠滿了人。這樣豪華的地下車站是與蘇俄人民的日常生活不相稱的。從資源分配觀點看，蘇俄政府不應當花這麼多的財力來補貼這麼豪華的地下站。它應當要轉移部分資源解決人民迫切需要的國民住宅、新鮮的蔬菜水果、肉類及其他民生必需品！即使對天天乘地下車的人民來說，那豪華氣氛中來回的方便立刻被車站外面殘酷的現實破壞：又要排長龍去買生活必需品，又要回到像小鴿籠的住處！對住在農村及小城不能夠搭乘地下車的，這種津貼更是不公平。

一九八〇年四月

47

與一位莫斯科大學二年級學生的交談

學與思

- 一位十九歲的蘇俄青年私下表示：「應當承認美國經濟制度的優點：市場競爭與利潤。由於沒有這兩個因素，我們的商品品質太差，工作情緒太低落，農業仍然落後，使我們的生活沒有西方世界那麼好！」但他卻不敢在公開場合這樣講，為什麼呢？
- 儘管有共產體制的限制，但這位莫斯科大學二年級學生卻有著流利的英語、敏捷的反應，以及對國際事務的認識並抱持開放的態度，值得年輕人學習。

經過朋友的介紹，三天的連絡，終於下午碰到了這位讀大學二年級主修經濟的年輕人。

在柴可夫斯基劇院的轉街，是一條六線大道。在這條馬路上有兩個餐館。乘地下車到這邊來，這位年輕大學生說很容易找到。三時整我走進去，一位六尺左右的青年迎向前來。他有微捲的金色頭髮，臉上充滿了神采的表情。身上穿了一件米色羊毛衣，上面戴了一個美國棒球隊的隊徽，我立刻就被這位英俊的青年吸引住了！他一開口，是純正流利的英語！我第一句就問：「英語怎麼講得這樣漂亮？」「我學了八年，有時常與英美來的訪問者交談。」

我與他見面主要的目的，是要想了解當前蘇俄大學生對一些問題的看法。他喝啤酒，我喝咖啡——蘇俄的咖啡很可口，比義大利的稍淡，比美國的稍濃。

下面是主要的對答。

問：卡特決定抵制奧運，大學生的反應如何？

答：這實在是很遺憾！為了準備奧運，蘇俄人民已經忍受了很多犧牲，盡量要把它做得體面。美國運動員不來，奧運幾乎就沒有光采。兩年前預計會有二百萬人來參觀，目前的估計十到十五萬人。如果蘇俄在阿富汗五月底前撤退

（註：只有少數人知道美國抵制奧運的原因），我希望西歐及美國都來參加。

問：美國禁運穀類到蘇俄來，有什麼影響？

答：說實在，到現在我們沒有感覺到，因為我們從別的國家採購。

問：蘇俄與中共的關係你認為如何？

答：我們政府想要改善，但一直沒有成功。毛澤東死後，我們認為有希望，但也沒有進展。現在中共與美國關係改善中，看來愈來愈難。

問：索忍尼辛等人在美國寫的文章，蘇俄反應如何？

答：一般人根本不知道他最近的言論。我偶然從《時代》與《新聞週刊》上讀到。

問：你能常看到這兩種雜誌嗎？你們圖書館有嗎？

答：非常不容易看到。偶然運氣好，可以在大旅館中買到，有時朋友間傳閱，學校圖書館中沒有。

（我們談話中間又談了美國最近的總統初選，各項運動，我的研究主題，美國社會及大學教育等等。）

問：那你怎麼知道這麼多美國現況呢？

答：有些來自「美國之音」的廣播，有些來自我們自己的報紙，有些來自像你一樣的國外訪問者。

問：請你談談蘇俄的高等教育。

答：我們七歲開始上學，十年義務教育完成後，大概十七歲。那時可以考大學。我是大二，現在十九歲。要考進莫斯科大學很難，高中的成績占五分之一，大學考試的四門學科占五分之四。

學費是免的，宿舍一個月約三個盧布（一盧布官價等於一．五二美元），伙食自理。一個人一個月大概要七十盧布。成績好的有獎學金。經濟系最高的是一個月獎金五十盧布。我運氣很好，每學期都有獎學金。如果學業順利，五年可以大學畢業。

我們的教授素質參差不齊。一位好的教授月薪約為四百盧布。平時沒有考試，學期結束時才大考。我覺得目前讀大學的人太多，肯擔任技術員或工人的人太少。教授研究的範圍太狹窄，有時與實際問題脫節。我希望政府多花錢把職業教育辦好。

問：讀經濟的出路如何？如何找工作？

答：出路不錯，尤其近年來增加了對西歐及美國的貿易。大學畢業後的第一個工作是政府委派的，來補償政府的免費大學教育。兩年後如果不滿意，自己可以再另外申請工作。

問：你是讀經濟的，你覺得蘇俄的制度好嗎？

答：說實在話，我覺得「計劃」有它的好處，也有它的缺點。我覺得今天我們要減少中央全盤計劃，多讓生產單位自己決定。否則百貨公司中常常一面某些商品過剩，一面另一些商品短缺，因為計劃單位與現實脫節。我們應當要承認美國經濟制度的優點：市場競爭與利潤。由於沒有這兩個因素，我們的商品品質太差，工作情緒太低落，農業仍然落後，使我們的生活沒有西方世界那麼好！

問：你這種看法很勇敢，你能在公開場合中講嗎？

答：當然不！如果你不是我朋友的朋友，如果你不是經濟教授，我才不敢這樣坦白呢！也許我今天啤酒喝得太多了。

問：我很樂意寄些美國的經濟教科書給你，你要嗎？

（他一口說「要」。而且笑得那麼天真，那麼高興，對一個愛讀書的人，有什麼比送他要看而看不到的書來得更快樂呢？

我請他寫下地址。他想了半天，告訴我：「把你的書寄到這裡，然後他們會轉給我。」我問他：「他們是誰呢？」他聳聳肩，只有歉然的表情！）

在我十六年的教書生活中，我還沒有碰到一個比這位十九歲的蘇俄青年在半個下午更使我歡喜的了！他對世界事務的認識，反應的敏捷，英語的流利，以及比較開放的態度，使我感覺到：如果蘇俄的下一代有更多這種人才，那麼蘇俄社會也許有一天不會那麼地缺少人性與理性。

臨走前，他突然留下了他家裡的電話。他說：「下次來莫斯科，讓我第一個見到你，但請記住不要在旅館裡打電話給我！」

近六時，我們走出門。夜幕低垂，冷風迎面而來，雪還在飄，又是一個莫斯科寒冷的夜。

一九八〇年四月

48

波蘭在美蘇對峙中的困境

學與思

- 在八〇年代的共產世界中，波蘭有著濃厚的宗教信仰，熾烈的民族主義，倔強的個人意識，努力與共產政權「和平共存」。
- 同樣受共產體制的影響，波蘭和蘇俄有哪些不同，可以從哪些層面觀察到？是哪些原因讓人民的生活有所不同？

四月十一日，中午時分，蘇俄航公司的班機從列寧格勒起飛，經過兩個半小時的飛行，帶我到達了波蘭的首都華沙。我離開了一個完全蘇俄統治的國家，到達了一個控制較少的國家。儘管這是程度上的差異，但在心情上如釋重負！我似乎又回到了有微笑的人間。華沙的一切都變得那麼可愛。

華沙在二次大戰中，與西柏林是被認為受到摧毀最多的兩個城市。重建後的華沙有二百萬人口，有新大廈的壯觀，更有舊建築的典雅。華沙是一個新舊揉合、引人入勝的大都市。也許是剛自蘇俄出境，我對華沙的印象特別好。但是每一個波蘭人對華沙有特別的驕傲：它象徵著戰爭中對抗納粹的愛國以及戰後重建首都的成就。

波蘭的生活面

天主教盛行的波蘭，是共產世界中的一個矛盾國家。它有濃厚的宗教信仰（三千四百萬人口中有九成是天主教徒），熾烈的民族主義，倔強的個人意識，但是今天波蘭人民與共產政權「和平共存」著。

與其他共產國家相比，尤其與蘇俄相比，波蘭人民享有較多的自由與較好的生活。例如在波蘭可以看到巴黎與倫敦出版的英文報紙、美國的雜誌；波蘭人民不怕與外國人接觸；市面上有花色繁多的消費品；各處都有熱鬧的餐廳與咖啡店。

此外，在波蘭，大部分的土地是屬於人民的，私人小生意也受到政府的鼓勵。我到過多家私人經營的小店面，布置精緻，出售波蘭著名的皮革品、木刻、針織、玻璃器皿等。質地甚佳，招待顧客熱心，價格如按當地收入並不便宜，如按美金黑市計算就很低廉。政治上的諷刺漫畫與批評也經常出現，西方的電影也常放映，一般人民也可相當地表達反對意見。我在餐廳、車站、咖啡館隨時可以非常自由地與他們交談。不像在蘇俄，似乎有人跟蹤，以及房間中的行李似乎被人檢查過。美籍的波蘭後裔很容易得到護照回來訪問，甚至歡迎他們退休後回到母國定居。

波蘭的國民所得（一九七七年）為三千一百五十美元，較蘇俄的三千零二十美元略高，又沒有蘇俄那麼重的國防支出與援外計劃，再加上樂觀的民族性，與西方世界的貿易，因此波蘭的消費者比蘇俄人幸運太多。在華沙街上，我看到了莫斯科看不到的新鮮蔬菜與水果，我看不到在莫斯科看得到的排隊！

但是所有這些並不使波蘭人滿足。農人、工人、知識份子不只一次迫使共產政權修改馬克斯路線及其經濟政策。因為他們要追求的生活水準與生活方式不是要高過蘇俄，而是要接近西方世界。一位波蘭經濟學家告訴我：「如果我們要與蘇俄比，我們就沒有做波蘭人的驕傲了。我們在地理上被稱為東歐，但在心態上是我們是學西歐。」

在這個心態下，西方社會的「示範作用」帶給了波蘭政府強大的壓力，它必須要改善人民的生活。波蘭人較高的生活水準是靠國際上的借款來維持的。由於輸出太少，輸入太多，發生巨額入超。美元在這裡變成天之驕子。官價是一元美金等於波幣三十一元（稱 Ziotych，發音像「齊老弟」），但在幾乎是公開黑市買賣中，一元美金可換一百至一百二十元的「齊老弟」。因此在這個比率下，對外來的旅客，波蘭的東西就太便宜了。一頓講究的晚餐，不到美金四元。在美國大使館擔任商務的一位官員說：「在波蘭只要有美元，買汽車，造房子，享受高級消費品，到國外旅行都可以。政府還鼓勵波蘭人在銀行開外幣帳戶，不問來源。」

波蘭人生活上較困擾的問題還是住宅的缺乏。雖不如蘇俄那麼嚴重，但也要等上幾年才可配到政府建造的便宜公寓，政府也允許私人營造，但是價格太高，一般人民買不起，而且營建手續也太麻煩，需要送紅包給各級主管，才可得到各種核准以及買到各種營建材料。

一般知識份子對公營事業主管批評最多，波蘭的經濟基本問題，就如其他共產國家一樣，是效率低，品質劣，運銷組織差，無法在國際上競爭，爭取較多的外滙，來滿足國內對西方生活水準的嚮往。波蘭人有一句流行的話：「不能做事的，就去教書，不能教書的，就去擔任公營事業的主管！」

波蘭的教宗

與波蘭朋友交談，他們喜歡津津樂道對教宗的尊敬與驕傲。一九七八年十月十六日是波蘭歷史上最光彩的一個日子。在波蘭出生的Karol Wojtyla當選為第二百六十四任的天主教教宗。這位五十八歲的若望保祿二世，是四百五十五年來第一個非義大利籍教宗，也是一百三十二年來最年輕的教宗，更是第一位來自東歐國家的教宗。

他著作等身，寫過四本書，五百多篇文字，精通六國語言。不抽菸，偶爾喝一些酒，對衣著食物都不講究。歡喜滑雪，帶來「自高山往下衝的刺激與危險」，也歡喜民謠，音樂，彈吉他。接近他的人都說：「他有光芒四射的人格。」

當選教宗後，他曾說過：「如果有人告訴我，有一天我會變成教宗，我一定會用功些。」現在波蘭的父母常常用這句話來勉勵他們的子女。

天主教在波蘭、匈牙利、捷克，一直是抵抗共產主義的一股強大力量，都有武裝反抗蘇俄統治的歷史。保祿二世未當教皇前，就公開譴責共產國家宗教信仰自由的缺乏。共產與非共產政府的官員都認為，他的當選會對共產與自由世界發生深遠的影響，莫斯科擔心這會使波蘭人民變得更獨立，其他的衛星國家也隨之而變得更獨立。

在波蘭的歷史上，人才輩出，如蕭邦（一八一〇～一八九四）、居禮夫人（一八六七～一九三四）及現在的教宗，稱他們三位為波蘭國家之瑰寶當不為過，在共產政權下，執政者一再承諾既沒有通貨膨脹，也沒有財富不均；既要改善人民生活水準，又要提供社會福利。這實在是人間找不到的烏托邦，當這些諾言一再落空時，執政者就變成了支票無法兌現的犧牲者。因此在共產制度下，經濟成敗常常決定了一個人的政治生活，最好的例子莫過於波蘭。

經濟成敗決定政治生命

一九五六年，在波蘭人爭取「麵包與自由」的要求下，葛米可（Wladyslaw Gomulka）接任總理。一九七〇年耶誕節前，當葛米可要提高一些食物價格時，引起全國工人的暴動，導致黨與政府的改組，他被迫辭職。在他十四年任內，波蘭之國民所得每年平均增加率約五％。

葛雷克（Edward Gierek）上台，他採取了一連串新的經濟措施：

- 修訂一九七一～七五年經濟計劃。
- 改善人民生活水準。
- 改善經濟計劃的執行。

在一九七一～七五年中，波蘭經濟較前稍有進步。一九七六年六月二十四日，他宣布一些基本食物價格調整，他以為大學已經放假，一般人民忙著度假，不會引起大騷動，沒料到波蘭人又以罷工與怠工對抗，迫使他放棄調整的計劃，這段痛苦的經歷使波蘭政府認清三點：⑴工人與一般人民不支持政府經濟政策，以罷工抗議。⑵領導階層未能瞭解民情。⑶儘管人民生活已有改善，但仍趕不上人民之期望。

一九八〇年二月新總理巴必齊（Edward Babiuch）上台，他作風平實，不空作諾言。他向全國宣布：「政府並沒有解決經濟問題的妙方，我有責任來告訴你們要準備束緊腰帶，厲行節約。」當前他面臨最大的問題是國際收入不平衡，他立刻採取了三項措施：

- 減少原料及能源的輸入。
- 減少投資。
- 提高效率，全面擴展外銷。

政府決定逐一針對食物、房租及暖氣費用繼續津貼，但是其他物品的價格必須調整。新總理指出：「我們必須接受這一事實：目前市場上的零售價格不能反映成本。」「我們要改善人民生活，但我不能做太大的承諾。」

在東歐國家中，波蘭是最親西方的，正因為如此，它向西方的借款也最多，達一百七十億美元。人民對政治自由的要求也多，反政府份子也多。由於地理上與蘇俄、德國、捷克及波羅的海諸國為鄰，一位專家預測：「今後數年內，如果歐洲有暴動，在波蘭發生的可能性最大。」

波蘭在冷戰中的窘境

蘇俄進兵阿富汗後，美國所採取的一連串外交與貿易措施已經使東歐，特別是波蘭，遭受到華府未曾預料到的損害。如：

- 增加了波蘭向西方世界借款的困難。
- 莫斯科要求華沙公約國增加軍備支出。
- 克里姆林宮加強對東歐各國的控制，要求他們減少與西方世界的文化、外交、甚至貿易往來。
- 鎮壓國內的反政府份子。

一位東歐人士指出：「以前我們是在蘇聯監視下的一個大監獄。」

美國對蘇俄貿易上的禁運，增加了蘇俄與東歐間的依靠，但是波蘭需要的技術、貸款、甚至外銷市場，不是蘇俄及其他東歐國家可以提供的。蘇俄為了自身的經濟利益，將提高售予東歐各國的石油價格，波蘭七〇%的石油來自蘇俄。一九七九年，蘇俄允許波蘭這個東歐軍隊最多的國家，不增加軍費負擔，但是今後的情況不同了。

目前國際緊張的局勢，增加了波蘭經濟上的困難與政治上的矛盾。這兩年經濟的下坡，已經使各種行業的勞工非常不滿，消費者也抗議價格上升與肉類短缺，一九七九年波蘭的國民所得居然下降了二%，這是戰後最壞的一次紀錄。進入一九八〇年，波蘭的經濟困難重重：(1)國際借款困難，利息又高。(2)外銷競爭劇烈，品質又參差不齊。(3)政府津貼勢必繼續，又不勝負擔。(4)國內零售價格應當調整，卻又擔心全國抗議。(5)軍費要增加，又將影響人民生活的改善。處於美蘇對峙中的波蘭，確實陷入了困境。波蘭人說：「目前我們最需要的是宗教若望保祿二世對祖國的祈禱與祝福。」

一九八〇年四月

49

華沙的古老市集來了位東方客

學與思

- 二次大戰中，華沙整個城變成了廢墟，喪失了六十萬生命。重建的古老貿易廣場是波蘭人引以為榮的復建大工程，在幽思懷古之中，充滿了情趣！
- 自由之可貴，不在於它與生俱來，而在它一度失去之後，再度享有時，才會真正地體會到自由的真諦。

此刻是下午一點半，辦好了一個上午的事，我正坐在華沙古老市集的廣場（Old Town）。我不會寫生，只好作筆記。鴿子在我腳邊飛舞，左右兩邊的廣場上是露天的畫廊，年輕的畫家耐心的在旁邊，等待知音。前面一大片空間正在布置即將開放的露天咖啡館。廣場是由四邊的四五層樓所圍住。二次大戰中，華沙整個城變成了廢墟，喪失了六十萬生命。戰爭留下來心靈的創傷將永駐不去，但受毀的建築都已不見。只有波蘭政府刻意留了一些摧毀的建築來提醒人民戰爭的浩劫。

討厭蘇俄的控制

這是重建的古老貿易廣場，波蘭人引以為榮的復建大工程。確實地，我走進了十九個「古老」鋪子，在幽思懷古之中，充滿了情趣！比之於莫斯科，這裡給我的感覺真是太舒暢了！唯一破壞這古老氣氛的是樓房上的電視天線。這些可愛的小店鋪，從路燈、石階、銅門、櫃檯到微笑的波蘭小姐，無一不使你一再欣賞，而店中陳列的小皮革品，精巧的手工藝品，古版的地圖與畫冊，又使我想起，同在共產主義統治之下，波蘭的一切似乎更接近西歐。一位波蘭籍的朋友曾擔心的告訴過我：「儘管幾乎所有的波蘭人都討厭蘇俄的控制，但我怕波蘭人愈來愈像蘇俄人，在不敢公開反抗之下，愈來愈俄羅斯化。」

今天是禮拜六，大多數的波蘭人上班到下午二時。廣場上除了遊客外，大多是當地人。看報、聊天、吃冰淇淋、織毛衣，一副很悠閒的情景！兩個多禮拜以來，我第一次穿了雙乾淨些的皮鞋——融雪之中，蘇俄的土地是濕而泥濘。也是第一次把大衣放在旁邊，在溫煦的陽光下，享受半天的清閒！

沒想到當我在寫下這些感受時，幾個波蘭小孩圍住了我，問我這是什麼文字。我用英文寫下：「我來自東方，我是中國人，這是中文。」他（她）們覺得很奇妙，以幾個英文單字與手勢之下，彼此比劃。突然間廣場上的小孩愈來愈多，已經有近二十個，我坐的長椅前後左右都圍了起來。記得有一個美國女士在中國大陸參觀時，近百個小孩圍觀她換照相機底片，把她嚇住了！我倒沒有一些不安，他（她）們大概都不到十二歲，臉上充滿了好奇、可愛的表情！一個男孩出了個「壞」主意，拿出一張紙來，要我中文簽名，別的小孩也找到了紙，我突然像「明星」一樣地當眾簽名留念了！

教過十幾年書，也做過一些演講，但從來沒有遇見有這麼多小孩那樣地「崇拜」我——崇拜我會寫出這些不可思議的、困難的中國字。另一個可愛的小孩，居然拿了冰淇淋給我，要我歇一口氣再寫。可惜當時照相機不在身邊，否則受波蘭小孩要求寫中國字的一幕，將是這次旅途中最成功的「國民外交」。推動國民外交的沈君山兄，不要錯過了華沙這個地方。

與莫斯科相比，華沙在我的心目中簡直一夜之間變成了巴黎。路上絕少見到穿軍服的人，沒有看到排隊的長龍，路邊大小商店中的東西，琳琅滿目。甚至還能見到櫥窗中陳列半裸的泳裝。

自由的真諦

商品的價格與莫斯科差不多，食物價格似乎稍高一些，不過車資與歌劇院票卻便宜得過分。

剛才在廣場的一家餐館午餐，點了一個「典型的」波蘭午餐，很可口，但量太多，太油膩些，包括了一碗紅蘿蔔湯。（其中還有四個餃子！）正餐是二塊大蹄膀（燒得好極！還是自己太饞？）及幾片辣椒、黃瓜、洋薯片，及炒小米（抑或另一種穀類），一杯濃郁的義大利式咖啡及一片蛋糕，一共七元五角美金。

走累了曾在兩個小咖啡館休息，布置清潔可愛。我就歡喜那種氣氛與那種情調，而不歡喜美國式餐廳太現代化的布置。小咖啡館中，有人在談事情，有人在談愛情。咖啡與點心通常不超過七角五美金，留下二毛五小費，侍者與客人都高興。

晚上趕到Wielki歌劇芭蕾院。這個戰後興建的劇院，波蘭人形容「它有十九世紀的建築格調，但最現代化的設備」。裡面實在很講究，比在莫斯科與列寧格勒看過的兩個皇家劇院更印象深刻。劇情是講十八世紀末，一對貴族男女正要結婚時，半途來了一位痴情的農村女與貴族青年的戀情。整個劇院完全客滿，友人為我訂了票，不到二元美金，坐在第四排；劇情、布景，男女主角之演唱，及交響樂均令人激賞，觀眾亦報以熱烈掌聲。觀眾的反應比在蘇俄的要熱情得多。

離開蘇俄，還不到四十八小時，儘管波蘭仍受共產統治，但心情上的舒暢難以形容。自由之可貴，不在於它與生俱來，而在它一度失去之後，再度享有時，才會真正地體會到自由的真諦。

一九八〇年四月

50

一隻燕子帶不來一個春天
——匈牙利經濟學家的諍言

學與思

- 從匈牙利經濟發展的各個階段來看，可以發現政治對經濟的影響很大。一九六八年匈牙利政府宣布的「新經濟體系」有哪些特色？後來為何又走回全面管制？
- 在共產世界中，經濟學家不缺專業。困難的只是必須能夠說服黨中的要員，放棄僵硬的教條、父母官的心態，以及落伍的主觀意識，進而尊重人性，接受理性！

匈牙利被稱為多瑙河之后，首都布達佩斯稱為皇后之冠。四月下旬，我乘夜車從華沙經過捷克國境，到達匈牙利的布達佩斯。在火車上經歷六次武裝人員的檢查，但相安無事。在車站接我的是一位已退休的匈牙利教授。他和藹可親，並且真誠坦率。

穿越布達佩斯市區的多瑙河，已沒有那麼清澈湛藍，但心情上我似乎更接近了自由世界。西北邊的維也納近在咫尺。在春天的陽光下，坐在多瑙河邊的露天咖啡館，讀著西方的英文報紙，與四月初在冷冰冰的莫斯科相比，我真慶幸只在那邊做了一個短暫的旅客。

在匈牙利一週多的停留中，使我有機會與十多位負責全國研究機構的經濟學家長談。這篇短文將偏重討論匈牙利的經濟改革，以及這些經濟學家們的評言。

匈牙利的生活面

位居在中歐東邊的匈牙利，有一千零六十萬人口，他們住在九萬餘平方公里的土地上，一九四五年二月十三日，匈牙利正式納入了蘇俄控制的軌道，宣稱要建立一個「社會主義的新國」。

在東歐國家中，匈牙利的經濟發展過程與波蘭相近，低於東德及捷克，但優於目前成長較快速的羅馬尼亞與保加利亞。一九五六年匈牙利的抗暴被蘇俄鎮壓後，在卡達（Janos Kadar）高度政治技巧的安排下，維持了一個穩定與各方面妥協的局面。

以國民所得而言，匈牙利要低於蘇俄及波蘭。但我自己的觀察是：布達佩斯人民的實際生活要比莫斯科好得太多，比華沙也要好些。

在這三十五年中，匈牙利政府在改善人民生活方面，有一些可以驕傲的成就，如：

- 大眾交通工具的發達：布達佩斯有公車、電車、地下車、短程火車與渡船。票價也非常便宜，布達佩斯的居民有二百一十萬。其中九六％的居民的住處，不會超過大眾交通工具五百公尺。
- 往宅的改善：一九六一年六〇％的住宅只有一個房間，並且沒有現代化設備。一九七九年時六三％的住宅有二間及以上的房間，並裝有現代化設備。
- 綠地的維護：布達佩斯有一千五百個供孩童活動的小公園。十四個公園，四十公頃的森林綠地。占整個城的面積一〇%，被認為是歐洲綠地最多的都市之一，比倫敦、莫斯科、奧斯陸都好。

此外，生活必需品及一些高級消費品充斥市面，既無排隊長龍，亦少黑市。但價格與收入相比不算便宜。

匈牙利的基本經濟問題與其他東歐國家一樣，也是在於它生產力低、效率差、管制多、控制嚴。當前最大的困擾與波蘭一樣：國家收支逆差。與其他東歐國家最大的不同是：匈牙利在一九六八年曾經勇敢地嘗試過「經濟改革」，可惜其成就只是曇花一現。

勇敢的「新經濟體系」

一九六八年在東歐發生兩件大事：蘇俄進兵捷克鎮壓反共產的人民，北大西洋公約國家無可奈何；匈牙利政府宣布「新經濟體系」，蘇俄勉強接受。

這個改革的背景是：一九五六年史達林受到公開譴責後，言論自由稍微放鬆，同時西方國家經濟的快速進步，使共產世界憂心忡忡。到了一九六〇年初期，東歐經濟學家認為他們的經濟已從「粗放」進入到「集約」階段。在「粗放階段」，可以用中央集權、全面控制等方法，來致力生產工具國有，剩餘勞力引入工業部門，社會福利措施的推行及財富分配。但是到了「集約」階段，策略是要增進經濟效率與生產力，加強資本利用，引進新技術，及提供較好的消費品等。因此權力要分層負責，資源要重新分配，品質要講究，價格制度要受到尊重，外貿要拓展。

一九六八年的這項改革有三個特色：

(1)廢除強制性的計劃目標，代之以經濟指標（如利潤，價格，成本）為基礎的管制制度。

(2)廢除以生產為基準的獎勵制度，代之以利潤制度。

(3)廢除中央訂定的資源分配，代之以個別公營企業的自主權（包括可與外國公司直接談生意）。

蘇俄之所以「允許」這一改革，主要是匈牙利政府向蘇俄保證，在對外關係上一仍聽命於蘇俄。這項大改革使匈牙的經濟制度與其他東歐國家產生了顯著差異。簡言之，政府控制了生產工具，但市場功能來決定資源的分配。

其結果是產生了一九六七～一九七四年匈牙利戰後自稱的「黃金時代」，在這一階段中，經濟成長率在五．五～七．〇％之間。生產力的增加（不再是勞力的增加）變成了經濟成長的主因。與非社會主義國家的長期國際收支逆差暫時消失了。人民生活水準較前大為提高。以往商品普遍短絀的現象幾乎完全改觀了。這也是匈牙利經濟學家「學以致用」的黃金時代。

可惜四個主要因素迫使匈牙利政府修改其「新經濟體系」：⑴國內一般工人的反對；⑵領導階層擔心其控制權力的喪失；⑶國際油價的飛漲；⑷其他進口價格的上升。下面稍作說明：

到了一九七二年左右，匈牙利都市中的工人感覺到社會上別人的薪資有顯著的增加，他們本身沒有得到實惠。在「新經濟體系」下，農民所得增加較快，管理人員的獎金增多，賺錢的公營企業中的員工薪資也增加快速，技術性工人有更多賺錢的機會。因此在這些工人爭取平等的壓力之下，給執政者一個最好的藉口來恢復其大部分的管理權。一面向工人妥協，提高了普通工人工資；一面加強對計劃與價格管制機構的權力，特別管制大型的公營企業的投資發展。

一九七三～七四年國際油價的暴漲引起世界性的通貨膨脹與經濟衰退，帶給了匈牙利輸出品困難、輸入價格上升的嚴重衝擊。面對這一衝擊，匈牙利有兩個主要選擇：全力調整國內經濟結構、生產力、價格制度、國際滙率、外貿方式，接受幾年調整的痛苦，變成開放型經濟與世界各國競爭。或者重返閉塞型的經濟，來減小國際的衝擊，側重與蘇俄及東歐間的貿易，這樣也毋需在國內經濟結構方面作痛苦的大調整。匈牙利政府當然選擇了一條目前容易走、痛苦少的路。以後的問題讓以後的人來收拾。匈牙利的這一倒退經驗充分證明了：政治上的利害得失否決了理性的經濟政策。在共產制度下，縮短所得差距的方法，不是積極的幫助低所得者增加其所得，而是用人為的控制，強迫其他有技能的人減少他們的收入。

一九七四年後，匈牙利政府的經濟政策愈來愈走向當年全面管制時代，匈牙利的經濟學家不再沉默了。

匈牙利有批評經濟政策的自由。我接觸過十餘位的經濟學家，其中至少有一半都曾在政府的會議中、學術刊物上、報紙雜誌上，強烈批評過政府的經濟政策。其中一篇是由國家經濟及市場研究所長湯德史（Marton Tardos）與另一位經濟學家執筆。發表在一九七九年。文中他們討論當前匈牙利經濟政策與觀念上的四個矛盾。他們指出：政府與人民都要這些政策，但不希望隨之而來的一些副作用。這種一廂情願的想法是不切實際的。(1)如果要追求快速的經濟成長，那麼短期內輸入就會增加，國際收支逆差就會產生。(2)如果要增加經濟效率，那麼個人就會有差別薪資的產生，企業就會有不同的利潤產生。(3)如果要追求國際上的比較利益與分工，那麼與西方世界與共產世界的貿易條件就應當盡量接近。(4)如果要推行新的經濟觀念，那麼舊的法則、機構、價值判斷必須調整。

他們進一步建議：(1)生產品與消費品價格應當要反映成本。(2)釐訂全國經濟計劃時，必須要注意成本與收益。(3)投資活動與人力的流動要鼓勵。(4)政府的經濟控制與公營企業組織亟需改善。

在這些經濟學家的呼籲下，匈牙利政府在今年年初宣布了尊重市場經濟的新價格政策，主要的三點是：(1)政府減少各種補貼。(2)把國內價格與國際價格盡量接近。(3)當成本增加時，立刻反映在價格上。

我離開時的最後一句話

當我與一位著名的匈牙利經濟學家交談時，我說：「一定是你們這些經濟學家有說服的本領，才使政府宣布這個非常西方式的新價格政策。」

我們只是一隻燕子

他望著我：「如果他們尊重我們的意見，一九六八年的『新經濟體系』就不應當解體。只有當匈牙利經濟陷入嚴重的情況時，黨裡面的要員才不得不聽我們的話。我們並不是不知道如何使我們的經濟可以變得更有效，而每次都是僵硬的教條與政治的考慮否決了我們所有的建議。共黨教條不能當麵包吃，經濟效率才能幫助人民吃得好。我們匈牙利有一句諺語：『一隻燕子帶不來一個春天！』我們只是一隻燕子！」

在華沙的波蘭經濟學家也告訴過我類似的話：「在共產制度下，要追求效率、利潤，要注意成本、生產力，好像是不人道的。領導階層就是不能接受，但又有什麼更好的經濟觀念可以來改善我們的生活呢？」

我想起國內孫震教授常說的話：「經濟學家之間意見上的出入，遠比經濟學家與非經濟學家意見上的出入少得多！」西方經濟學家不需要告訴共產世界經濟學家任何經濟進步的理論。在共產世界中，經濟學家們所需要的，是在他們已有的勇氣之外，能夠說服黨中的要員，放棄僵硬的教條、父母官的心態，以及落伍的主觀意識，進而尊重人性，接受理性！

後記：多瑙河畔的小駐

由布達佩斯乘車赴維也納時，在邊境上檢查簽證。那位穿制服的年輕檢查員看到了我的職業欄以後，幽默地說：「你是教經濟的，我們應當把你留下來幫助解決我們的經濟問題。」望著百尺以外的自由世界，我對他說：「你們不需要自由世界的經濟學家，你們只需要拋棄傳統的教條。」這是我離開共產世界講的最後的一句話。

在共產國家旅行是很累的，有時是體力上的，有時是精神上的。這一次旅行的安排，特別費周折，改訂一張機票要自己去好幾次，見一個人要打電話連絡好幾次。從上午八時離開旅館，一直到現在——下午六點三十分，馬不停蹄，但收穫很多。好幾個朋友都推薦我一定要到布達佩斯著名的Matyas Pince餐館。餐館分成很多廳，有音樂的那邊在七點鐘開始。為了體會一下那著名的吉普賽旋律，我就利用這半小時迫不及待到這邊來——多瑙河邊，餐館到這邊只隔一條八線大道。

每天來回旅館，都要經過這條著名的河，以及河上這著名的伊麗莎白橋。小時候在上海就讀到匈牙利及多瑙河，但沒有想到我此刻在夕陽餘暉中坐在河堤邊寫下這些話。以前藍色的多瑙河只出現在幻想中，此刻多瑙河在我眼前，在我腳邊。可惜河上沒有見到帆船與遊艇，似乎有一些蕭條。遠處有一條小貨船在拖一船沙。多瑙河的水在這裡有些混濁，藍色的多瑙河只能在遐思中去捕捉，但聽說仍可以垂釣，河中的魚仍可吃。面前有一條飛船，如果我等到五月一日，就可乘船沿多瑙河到維也納，這該是多麼有情調的一段航程！

多瑙河把布達佩斯分成東西兩岸。我多麼希望像香港一樣，有船上的餐廳，在多瑙河上吃一頓海鮮。幸好這個俗氣的想法不能變成事實！可惜的是連短程的遊河，也因季節因素而無法如願。

河的那一邊是公園。在小山丘的上面站著一位年輕匈牙利婦女的雕刻像，迎風招展的衣裙與神情，象徵年輕人的活力與理想。幾對情侶在堤邊摟著散步，坐著接吻，還有幾位年老的在讀報、小憩。在初春時光，這個世界應該是屬於年輕人的。只有電車與汽車的聲音打破了堤邊的寧靜。一陣風過，掀起微波，我對著年老的與年輕的微笑，老年人的智慧與年輕人的熱情都是人生中可愛的兩面！

坐在河旁，我突然想起胡適中年自勉的一首詩：

偶有幾莖白髮
心情微近中年
做了過河卒子
只能拚命向前

如果一個人能融合年輕時的熱情，中年時的成熟，年老時的智慧，這該是多令人嚮往的一個境界——在多瑙河畔引發了這個聯想。

一九八〇年四月

第五部

文明靠自己，讀「書」不「輸」

貫穿自己「一生」的信念是「讀書」與「教書」，不是財富與權力。

在我的思維中，「書」是啟蒙的「種子」，進步的「階梯」，打開封閉的「大門」，「文明」的養分。因此我倡導：人生的起點，不是誕生，而是與書結緣的那一刻；人生的終點，不是死亡，而是與書絕緣的那一刻。與書結伴的一生，就是「書生」；就是終身的知識之旅。

二十一世紀初台灣社會的競爭力、生命力、凝聚力面臨了最嚴酷的挑戰。做為一個知識份子，千思百慮所能想到的還是回歸到基本面——好好讀書，好好做人，好好做事。把讀書、做人與做事結合，使它變成提升台灣社會的一個新風潮。

從堅持「讀一流書」、堅持「做一流人」，到堅持「建一流社會」。「天下文化」的志業，就是堅持從出版第一流的書做起。

51

分享一些書生之見
——在網路時代，「讀書」與「學習」變成了同義詞

學與思

- 建立文明社會的第一步，就是透過「閱讀」來養成進步的觀念，讓「公平」變成普世價值，讓「正義」變成判斷人性的尺寸，讓「進步」變成值得追求的標竿。
- 數位潮流下，閱讀與學習不限於紙本、已變成同義詞，傳遞知識火種的本質不變。

「讀書」早已概括「紙本以及傳統以外各種方式的閱讀與學習」。瞬息萬變的年代，不讀「書」，一定「輸」。

六十年前的警覺

六十年前（一九五九年）秋天去美國讀書，正是尼克森與甘迺迪競選美國總統前夕，經歷了第一次的民主洗禮；尤其看到歷史上第一次總統候選人電視辯論（當時台灣還沒有電視），一個台灣年輕人看得興高采烈。四十四歲的甘迺迪當選了美國最年輕的總統，就職演說中，講出了兩句扣人心弦的話：「不要問國家能為你做什麼；要問你能為國家做什麼。」

在這個處處有機會、處處是競爭的美國大陸，就立刻加深了自己的危機意識：要發展自己國家落後的經濟，先要求自己能在美國立足。那就是要變成一個有競爭力的人。唯一的方法就是靠認真讀書，做一個優秀的研究生及「書生」。「書生」就是為書而生：把書讀好，才能有好的「生活」，才能有尊嚴的「生存」，才能有安身立命的「生計」。

與書共生

今天台灣社會中受到尊敬的朋友，沒有一個人不是靠自己的努力，走過清寒的青少年，脫穎而出。所有的努力中，最大的因素是靠閱讀。這些可敬的朋友包括了于宗先、孫震、曾志朗、賴英照、張作錦等等。他們成功的共同分母是：苦讀有成。閱讀不必然會帶來成就；不閱讀必然會帶來庸俗。這正是為什麼大家「相信閱讀」。

一九六四年，開始在威斯康辛大學經濟系教書。從此打開了一生幸運之門，與「書」結了不解緣——認真地教書、努力地寫書，然後有機會回到台灣參與編書、評書、選書、出書。我變成了世界上最快樂的「讀書人」；或者說是一介「書生」。

回想年輕時，讀孫文的《三民主義》，它推翻了一個專制朝代；讀蔣中正的《中國之命運》，它燃起了青年的愛國熱情；做研究生時，讀亞當史密斯的《國富論》，它鼓吹資本主義的興起；讀凱因斯（John Maynard Keynes）的《一般理論》，它挽救了在危機中的資本主義；教書以後，讀傅利曼的《自由的選擇》，它使人增加了對市場經濟的信服；讀《鄧小平選集》，它指出大陸經濟要起死回生，唯有改革與開放。一本好書一定會帶給讀者一生深遠的影響。

一流書・一流人

「第一流」的書就是指「好書」。讀完好書後的收穫，有些是知識性的、啟發性的；有些是資訊性的、素材性的；有些是趣味性的、共鳴性的……它的綜合效果是鼓舞大家產生一個共識：「共讀一流書，共做一流人」。讓我們彼此勉勵——

人生的終點，不是死亡，是與好書絕緣的那一刻；
人生的起點，不是誕生，是與好書結緣的那一刻。
在所有的自由中，沒有「不讀一流書」的自由；
在所有的選擇中，沒有「不做一流人」的選擇。

觀念改變世界

在自己認知的世界中，改變世界與改寫歷史最大的力量是觀念。因此一生的職志就是在提倡、傳播、落實進步觀念。

「進步觀念」從學經濟的我來解釋，是指那些觀點、看法、立場、判斷，能增加經濟效率、人民所得、社會公平、文化品質、人性尊嚴、世界接軌。如果我們真能掌握這些進步觀念，那些偏激的、狹隘的、歧視性的、似是而非的言論，在台灣讀者就會變少，群眾就更少。

建立一個理性公民社會的第一步，就是透過閱讀，讓進步的觀念驅逐低劣的偏見！讓「公平」變成一個普世價值，讓「正義」變成判斷人性的尺寸，讓「進步」變成值得追求的標竿。

書的自述與自信

數位革命潮流中，不限於紙本方式的閱讀與學習，帶來了知識傳播與普及的重大改變。讀紙本書的變少了，書變得孤獨了。且聽「書」的自述與自信：

(1) 書是啟蒙的「種子」。

(2) 書是溫柔的「鞭子」。

(3)書是進步的「階梯」。
(4)書是沉默的「老師」。
(5)書是跨越無知的「橋梁」。
(6)書是治療愚昧的「醫生」。
(7)書是打開封閉的「大門」。
(8)書是逃脫貧窮的「捷徑」。
(9)書是知識的「地圖」。
(10)書是前進的「思索」。

二〇一九年八月
二〇一九年十月更新

52

以傳播知識為己任

——「天下文化」二十年來的堅持

學與思

- 台灣雖然生命力飛揚，但社會上種種粗糙的競賽規則、強烈的保護心態、過多的政府干預等現象，顯示我們還是缺少「進步的觀念」。
- 知識與遠見的結合，才能夠避免無知與短視，才能夠審察世局、開拓國運，因此「天下文化」從一開始就以「傳播進步觀念」做為出版的職志。

在中華文化綿延發展的過程中，知識曾被珍惜，也被漠視過；知識份子曾被器重，也被踐踏過。

近半世紀的台灣發展證明：只要社會走向開放與多元，知識與知識份子就會得到較多的重視。世界上沒有一個國家，所得可以提升而知識是落伍的；世界上沒有一個社會，法治可以樹立而知識份子是懦弱的。

我們常聽到：「有什麼樣的人民，就會有什麼樣的政府。」更正確的說法是：「有什麼樣的知識份子，才會有什麼樣的社會！」因此，堅持傳播進步觀念的人，就義不容辭地變成了以傳播知識為己任的知識份子。

「天下文化」的第一本書《經濟人與社會人》在一九八二年春天出版。撒下了第一顆傳播觀念的種子。

回顧八〇年代初的台灣，受到國際人士稱讚的因素持續存在，如經濟成長率高、失業率低、所得分配平均、物價穩定……，但是以西方國家的典章制度及現代理念來評比當時的台灣，台灣的落後包括了粗糙的競賽規則、強烈的保護心態、過多的政府干預、惡化的生態環境……。

實際上台灣社會所真正反映的，無一不是觀念的落後。

做為一個知所進退的知識份子，最能做的就是傳播進步的觀念。於是《天下》雜誌在一九八一年、「天下文化」在一九八二年、《遠見》雜誌在一九八六年先後誕生。

在《天下》與《遠見》雜誌的創刊詞中，我分別強調「經濟是我們的命脈」；「知識與遠見的結合，才能夠避免無知與短視，才能夠審察世局、開拓國運。」「天下文化」則從開始就以「傳播進步觀念」為出版的職志。

推動進步觀念

在生命力飛揚的一九八〇年代，我聲嘶力竭地在文章中呼籲：「我們最缺少的還是進步的觀念！」

觀念是一種看法、一種推理、一種思想；它同時也是一種意願、一種行動的規範。它表達了一個人的標準價值、專業知識，以及道德勇氣。

「進步的」觀念是在尊重法治與民主之下，這些看法與論點能夠促進經濟效率、社會公平與文化進步。它向獨裁、特權、壟斷、私欲、惰性等現象挑戰。

「進步觀念」之不普及，不論是由於迷信、私心、無知，或者來自於人情，甚至好意，影響了國家現代化的方向與速度。

「進步的」觀念幾乎一定引起爭論、曲解及強烈的反對。因為「進步的」觀念常會使既得利益者受制衡、使當事人產生不安全感、使自己減少收入或增加負擔。

法國文學家雨果在十九世紀就說過：「當一個觀念成熟時，武力都擋不住。」只可惜，觀念的成熟常常是姍姍來遲。

「新台灣人」

在我所出版的書中，沒有一本比《新台灣人之路》（天下文化，一九九八）使我寫得那麼地痛心及心痛。痛心的是台灣社會的和諧，竟會被幾個政治人物這樣容易的分化！心痛的是全台灣人民，不得不被這種政治人物的言行付出沉痛的代價。在《遠見》一百期（一九九四年九月）推出「新台灣人」專集時，我不得不寫下這些話：

人必須要從歷史灰燼中重生，人必須要從意識型態中破繭而出，人更必須要從悲情自憐的死胡同中跨越。

這正是「新」台灣人誕生的背景。他們命運共同的基石，不再局限於同一種方言、同一個省籍；更在於同一種文字、同一個文化、同一個血統，甚至同一夢想。

對這些「新」台灣人，事業成就超越了歷史悲情；自我主張超越了委曲求全；族群融合超越了省籍情結。他們注意的焦點是：對準二十一世紀。過去四百年的歷史，引不起他們的激情及抗爭。有自信的「新」台灣人，毋需靠歷史事件求取同情，更毋需靠挑撥省籍求得出頭。

他們大都是一九四九年以後出生的一代——除了台灣人，還有外省人的第二代（或者他們更認為是本省人的第一代）。這一代人不同於上一代的最大習性是：喜歡往前展望，不喜歡往後回顧。他們追求經濟成長，但更要社會進步；他們追求生活水準，但更要生活品質。

三個「一流」

二〇〇〇年總統大選前後，台灣社會的人心又因意識型態的爭論，陷入嚴重的焦慮不安。當中研院院長李遠哲提出台灣社會是要向上提升或向下沉淪時，大部分的選民選擇了放棄李登輝主政十二年的國民黨，陳水扁當選為總統。

真要蛻變為一個向上提升的社會，執政已兩年的民進黨，不能再在政治符號中空轉。它必須凝聚全民的共識、規劃奮鬥的藍圖，以及兌現政策的步驟。歸納來說，它必須要有理念、人才以及政績。

這真是天下文化於千思萬慮之後所提出「讀一流書、做一流人、建一流社會」的用心。

「讀一流書」才會吸取到進步的理念。

「做一流人」才會孕育出各方所需的人才。

「建一流社會」才會產生人民渴望的政績。

讓我們從自身做起：在所有的自由中，要堅持「讀一流書」的自由；在所有的選擇中，要堅持「做一流人」的選擇；在所有的努力中，要堅持「建一流社會」的努力。

二〇〇〇年二月

53

從讀一流書、做一流人，到建一流社會

學與思

- 二十一世紀正走向「人本」世紀，年輕人的「品質」是關鍵，要培養年輕人成為一流人，讀好書是最有幫助的一件事。
- 人生進步的起點，是讀一流書；人生歷練的過程，是做一流人；人生奉獻的高峰，是構建一流社會。

什麼才是「一流書」？

「一流書」就是指「好書」。讀完好書後的收穫，有些是知識性的、啟發性的；有些是資訊性的、素材性的；有些是趣味性的、共鳴性的。

進一步來說，不論是國人所撰述或譯自外文，一流好書須具有下述一個或數個特色：

(1)它傳播現代知識
(2)它有創意並激發創意
(3)它的故事感人且具啟發性
(4)它有實用價值
(5)它在提倡人與自然的和諧共存
(6)它在記錄人類（及國人）的傑出成就
(7)它探索人類的心靈世界
(8)它在提倡人間的長情與大愛

具有這些標準的「好書」，自然擁有了魅力、說服力，以及無法拒絕閱讀的誘惑。

什麼才是「一流人」？

在自己的教學生涯中，對成功的人物欣賞，對知識淵博的人佩服，對天才洋溢的人傾倒；但是最令我心嚮往之的是這些人：

做事上，專注、出色、有原則。
做人上，敦厚、謙和、有誠信。
態度上，不爭、不貪、不獻媚。
品德上，有格、有節、有分寸。
見解上，有創意、有包容、有執著。

具有這種特質的人，讓我稱他（她）們為現代社會中的「君子」，也就是近年我提倡的「一流人」。

更具體地說：把書讀得好、把人做對、把事做完美、把大愛分享，就是「一流人」。

要做一流人，先要讀一流書。

「天下文化」的志業就是二十多年來一直在出版第一流的書。如果坊間有再多的好書，自己有很多的原因沒有閱讀，那麼二者無法交集的結果，就是好書會變得孤獨，自己會變得庸俗。

在「知識經濟」的大環境中，每個人必須要不斷閱讀。

在「學習世紀」的大環境中，每個人必須要不斷學習。

愈來愈多的知識份子——特別是年輕朋友——相信：閱讀與學習應當是終身的承諾。

年輕一代的「品質」最為關鍵

在構建「一流社會」的過程中，年輕人的「品質」還是最值得重視。二十一世紀正走向「人本」世紀——以人的品質為根本，以人的福祉為核心，以人類幸福的提升為共同目標。

在今天高所得的國家中，由於人的品質的普遍優良，人人都容易享有公平的機會與同樣的尊嚴。對正在努力追求優質生活的台灣社會，政黨可以替換，政治領袖可以替換，公共政策上對人的品質的重視不能替換。台灣之所以能立足於世界，所依靠的就是兩千三百萬人民的品質。人民品質整體反映出來的，就是台灣的生命力。這股堅韌的生命力，是全體人民用來追求財富、用來追求自我實現、用來追求家庭幸福、用來追求大愛。

生命力在台灣的展現，也符合經濟發展過程中所出現的各種學說：如人民擁有強烈的成就動機、旺盛的企業家精神、市場經濟中活躍的「一隻看不見的手」。

要提升人的品質，尤其年輕的一代，必須要在四方面同時進行：

(1) 培養專業技能（就可自主）
(2) 培養倫理道德（就可自律）
(3) 培養人文關懷（就有大愛）
(4) 培養社會良心（就有正義）

除了品質，還要培養他們有大格局的思考。這些思考要具體表現在：

對歷史與文化有熱情。

對傳統與倫理有溫情。

對本土與異鄉有感情。

今天不全力訓練一流的年輕人，明天哪會有一流的社會？

如何共建「一流」社會？

半世紀以來，台灣經濟奇蹟的光輝，在一九九〇年期中以後逐漸褪色。在這麼一個高度競爭的世界，如果台灣社會持續的再犯三項錯誤：

(1) 政策沒有做對

(2) 資金沒有花對

(3) 時間沒有用對

其綜合結果當然是台灣競爭力衰退，台灣社會沉淪。

兩位美國傳播學者在告別二十世紀前夕，選出了百年來影響美國社會最重要的一百篇演講，名列第一的是人權領袖金恩在一九六三年的演講。講題是：「I Have a Dream」，被認為是二十世紀中最具震撼力的四個英文字。

讓無數海內外讀者有一個共同的夢：「讀一流書，做一流人，建一流社會」。

人生進步的起點，是讀一流書；人生歷練的過程，是做一流人；人生奉獻的高峰，是構建一流社會。

讓我們從自身做起：在所有的自由中，要堅持「讀一流書」的自由；在所有的選擇中，要堅持「做一流人」的選擇；在所有的努力中，要堅持「構建一流社會」的努力。

在所有的決定中，歷史經驗告訴我們：「堅持」最難；貫徹「堅持」，也就最難能可貴。

二〇〇二年六月

54

追求知識，是一條最可靠的路

學與思

- 在現代生活中，我們應當引導年輕人辨清「價格」與「價值」，對應該重視的價值不能輕視，對不該計較的價格不要斤斤計較。
- 「新讀書主義」就是透過全方位的讀書，使自己，使家人，使同事，使朋友成為一個全方位的現代人。

台灣讀書風氣何以低落？

傳統上，讀書人有他們清高的情操，但是「讀書」的動機，卻蘊涵濃厚的功利色彩。

在今天升學主義與考試主義主宰一個人早年的命運時，讀書、考試、就業，就變成了一個痛苦的三級跳。

當「讀書」淪落到如此的工具化與世俗化時，怎麼還可能有「讀書樂」？從幼稚園到大學，在二十年的讀書壓力下，誰會不厭惡讀書？

這正是今天台灣讀書風氣低落的一個根本原因。

「新讀書主義」，所要提倡的不是消極地從「苦」讀書中得到「新」樂趣，而是全面改變對讀書的心態。不論自己已經就業或者還在求學，首先必須下定決心告訴自己：

不再為應付考試而讀書；

不再為應付就業而讀書。

新讀書主義

減少了讀書的強迫性，就增加了讀書的寬廣性。

進入社會，再用功的學生也會立刻發現：在本科學業上，書到用時方恨少；在其他知識上，書到用時更恨狹。

我們的大學教育中最欠缺的就是通識教育。因此一般大學生對本科以外的知識，從科學到人文，從藝術到宗教，都幾乎是「功能性的文盲」。

「新讀書主義」者，所追求的就是透過全方位的讀書，使自己，使家人，使同事，使朋友成為一個全方位的現代人。

這是一個現代知識份子對自己，也是對自己所關懷的人的新要求。

讀書是無法由他人代勞的。讀書是要自己投入的。一旦養成了讀書的習慣，就能自己體會到「三日不讀書，面目可憎」的哲理。

愛讀書的人，一定讀過不少專業以外的閒書，一定讀過不少看來沒有實用價值的書。那些曾經拿過博士學位的首長，常見他們在高爾夫球場上揮桿、在宴會一席上乾杯、在公眾場合上高歌，就是看不到他們在談書。

讓「新讀書主義者」，來共同提倡，也更要身體力行：

自己再忙也要讀書；
收入再少也要買書；
住處再擠也要藏書；
交情再淺也要送書。

我們也要告訴社會各界：

最庸俗的人是不讀書的人；
最吝嗇的人是不買書的人；
最可憐的人是與書無緣的人。

多重視價值，少計較價格

人生是一連串的嘗試、覺悟、修正；然後認清自己的優勢與缺點，決定方向再出發。三十歲左右的年輕人正在經歷這一階段：有掙扎、有歡笑。一個有助於樹立人生正確方向的經驗是：辨清「價格」與「價值」。

四十年來，我之所以投入傳播進步觀念，即是初到美國做研究生時，接觸到前所不懂的西方思潮與觀念，好像茅塞頓開，百般興奮。

每次再回到威州我執教了三十多年的學校，總能聽到退休教授與校友捐獻給學校的故事。一位我認識二十多年的英語系教授剛去世。遺囑中他把節省下來的所有財產全部捐獻給學校，指定要「提倡英語寫作，使下一代的年輕人不要在網路時代忘卻能寫出graceful English」。他就是一位「具有價值之人」（Man of Value）。

我們社會中的一個病態是：太多的人，對價格太計較，對價值太忽視；另有一些清高的人，對價格漠視，對價值重視。這兩種極端的人，前者是走向庸俗，後者則變得憤世嫉俗。

現代人從年輕時代開始，就要學習在兩個極端中取得平衡——要把「價格」放在「對」的位置，更要把「價值」放在「高」的層次。

在市場經濟中，價格（price）通常由供給與需要決定；價值（value）則反映主觀的判斷、社會的流行、個人的文化素養與教養。對我這個消費者來說，從不買名牌，因為價格太高；但從不敢忽視「知識」與「學習」，因為充滿了價值。

文明社會的病態就是短視者太多

觀察當前台灣社會百態，就不免令人擔心。試看首長宴請民意代表，企業界宴請首長時，花費動輒數萬，毫不吝嗇。但是要動用一些款項為同仁買書，則百般猶豫。為了個人私利，再昂貴的價格也變得有價值；為同仁福利，再合理的價格也缺少價值。我們常聽到首長們勤於打高爾夫，但很少聽到哪位首長或哪位企業領袖能以身作則，勤於學習，也勤於讀書。

對一般力求上進的人來說——尤其年輕人，透過終身學習來追求知識，是一條最可靠的路——不需關說，不需求情。

可惜的是：年輕人在手機、娛樂、服裝等方面的花費，常常不太計較價格，但在購買知識時，則對價格的反應特別靈敏。名牌店似乎不常打折扣，卻常常供不應求；書店要賣書，則非打折扣不可；即使打折扣，也難見人潮。

對不該計較的價格計較，正暴露出自己的短視；對不該輕視的價值不輕視，才會顯示自己的成熟。文明社會的病態就是短視者太多，成熟者太少。

幾年前在北京，那邊文化界的朋友慨嘆做出版人的淒涼。一位主編說：「這邊流行這麼一句話來形容暴發戶——『我窮得只剩下錢』。」

也許有一天，當「價格」不再主宰一切時，當「價值」得到應有的尊敬時，我們會聽到另一種聲音：「我忙得在學習！」

一九九三年十一月、二〇〇六年六月

二〇一九年十月更新

55

從生意人到讀書人、天下人

學與思

- 透過持續的書本薰陶與知識累積，「生意人」就會成為快樂的「讀書人」，讓自己向上提升。
- 「企業人」樂於學習、勇於嘗試，以日積月累的專業知識、堅定不渝的職業道德，追逐事業的理想。在揉合經濟人、社會人、文化人的理念與抱負，就變成了我們所提倡的「天下人」。

以書香取代銅臭

清寒而不寒酸，小康而不庸俗，這個關鍵就在於當事人是有書卷氣，還是市儈氣？也就是當事人是否重視讀書，是否熱中知識，是否追求精神層面。

在追求財富的過程中，人很容易迷失生活的方向，更容易混淆生活的最終目標。常常誤認為：更多的財富就會帶來更多的快樂與更多的尊敬。

事實上，如果財富的創造欠進取、財富的累積欠正當、財富的分享欠慷慨，那麼，財富所帶來的將是受人憎惡的銅臭。

台北「上流社會」中有一些人的交談就環繞在高爾夫、牌局、名牌，以及生意經。這是多麼俗氣的話題！

財富絕不能保證快樂與尊敬；但運用適當，是可以帶來自己的快樂，也可以贏得社會的尊敬。「運用適當」與否就要靠一個人的智慧與識見。透過持續的書本薰陶與知識累積，「生意人」就會變成「讀書人」——言談之間散放的書香就會替代不自覺的銅臭。

知識是沒有歧視的。不論貧富，任何人追求，任何人都可以得到。

知識是共享的。一個人的增加，並不會使另一個人減少。知識更是無窮盡的。愈追求，愈覺得自己的渺小，就愈想要追求。正因為他的無窮性，使得追求知識的人謙卑。

在謙卑之中，讀書人學會了虛心、耐心、愛心。

一個胸懷虛心、耐心、愛心的讀書人，即使擁有令人羨慕的財富，也不會有令人反感的銅臭；即使擁有令人嚮往的政治權力，也不會變成令人討厭的官僚；即使擁有令人尊敬的學術成就，也不會有令人失望的自負。

讓大家抖落一身庸俗，做一個快樂的讀書人。

「天下人」的理念與抱負

當透過閱讀和學習，得到滋養與成長後，就可以發揮能力，帶給社會更多貢獻：

(一)經濟人，社會人，文化人

「經濟人」追求的是經濟效率與自我負責。經濟人有他財富的滿足，也有他精神的空虛。

「社會人」追求的是社會公平與福利分享。社會人有他四周的共鳴，也有他信念的落空。

「文化人」追求的是文化提升與精緻生活。文化人有他心靈的飛揚，也有他物質的匱乏。

(二)企業人

當「企業」變成了專業，從事企業的人就要做「企業人」。「企業人」不是生意人，因此不模仿生意人的貪婪、短視、俗氣。企業人所表現的是有朝氣、有原則；肯學習、肯嘗試。他也許沒有很多的財富，但他一定有不少的智識；他不懂得什麼是商場上的花招，但他懂得什麼是商業的道德；他不會隨波逐流，而一定會力爭上游。

一位驕傲的「企業人」有他日積月累的專業知識、堅定不渝的職業道德，與拾級而上的事業理想。

在我們的字典中，企業人實在就是企業家的謙稱，這一稱謂，並不是因職位之高與薪水之多就唾手可得。要使「企業人」的稱謂實至名歸，需要自己有計劃地、有恆心地去贏取。

（三）耐心、雄心、良心

為什麼在經濟景氣中仍有廠商倒閉？為什麼在經濟蕭條中仍有企業成長？一個重要的答案就是這個企業是否具有專業知識、職業道德、事業理想的企業文化，這一企業主持人是否具有這「三業」的特質。

要追求這「三業」是一條走不盡的路。他需要吸取日新月異的專業知識，他需要面對傳統與現代價值觀念的衝突，他需要克服心理上的壓力，他需要拒絕不合法賺錢的誘惑，他需要突破事業上的挫折，他更需要不斷地自我鞭策。

一位有責任心的企業人有他的企業耐心、企業雄心與企業良心。

把經濟人、社會人、文化人與企業人的理念與抱負揉融在一起，就變成了我們所提倡的「天下人」。

一九八四年十一月、一九八六年六月

二〇一九年十月更新

56

遠離知識就是走進無知

學與思

- 要從小康生活提升到有「活的尊嚴」的社會，必須靠「知識」，它能告訴大家甚麼才是個人與國家值得追求的目標。
- 遠離知識的人，就走近無知，「無知」是阻礙社會進步的絆腳石。

在台灣快速的經濟成長中，最令人失望的一個現象是：最應當吸收知識的人，最沒有時間去吸收；最有能力買書的人，最不肯花錢去買書。因此，有權的人——不論是在政壇、議會、企業界——常常講的是老生常談；有錢的人，不論是巨富或新貴，更是充滿了市儈氣。

當前「亂」的社會，正反映出知識失去了約束的力量；

當前「貪」的人心，正反映出價值觀念的混淆；

當前「鬥」的權力結構，正反映出權欲的高張；

當前「爭」的意識型態，正反映出國家共識的分歧。

文明社會靠「知識」

要把一個小康生活提升到有「活的尊嚴」的社會，「知識」是中間的橋樑。它告訴大家甚麼是個人與國家值得追求的目標。

去大陸訪問時，私下常說：「打天下易，治國家難。」為什麼難？因為打天下的「功臣」要有胸襟與識見，來用比他有知識有學問的人，是何等地難？

台灣在步向民主中。民主發展過程中的歧見，也必須要靠客觀超然的知識份子來評析。知識份子所憑恃的不是權勢，不是財勢，而是知識。一個沒有私心，以人民利益為依歸的知識份子，要勇敢地站出來，要言人所不敢言。

遠離知識的人，就走近無知。「無知」是阻礙社會進步的絆腳石。清寒的讀書人，依然可以擁有尊嚴；有權勢而無知的人，只會處處凸顯出他們的幼稚！

做一個讀書人

在中華民族悠久的文化中，我們祖先曾有三樣影響深遠的發明：火藥、指南針與印刷術。可惜，後代的子孫，並沒有因為火藥的發明，使我國變成一個強國；也沒有因為指南針的發明，使我們掌握住了正確的方向；更沒有因為印刷術的發明，使中華民族變成了一個受人羨慕的讀書民族。

在現代社會，「書」不僅是指狹義的「書報雜誌」，也要包括教育性的電視與廣播及其他工具，如電腦。「書」的重要是因為它是一個現代人獲取知識的重要工具，也是生活中不可或缺的一部分。

讀書之不普遍有很多因素，其一就是「書」的價值被低估了。我們要指出：

（一）花錢買書不是支出，而是一種長期的投資。一本知識性的書固然可以直接或間接增加生產力，即使是一本消遣性的書亦可增加見聞，擴大視野。

（二）財富與權力可能獨享，知識幾乎無法獨占。與人分享財富需要氣度，與人分享權力需要智慧，與人分享知識，不僅自己的利益不受影響，反而一面減少了「曲高和寡」的孤獨，一面因為相互激盪而產生共鳴的快樂。

（三）讀書幾乎不受場地、人數、氣候等因素的限制。游泳需要游泳池，爬山需要好天氣，但讀書卻可以隨時、隨地，並且可以獨來獨往，最富彈性。

（四）有些生產行為會帶來公害，有些消費行為也會帶來污染，但讀書不會產生這種「社會成本」。讀書之所以值得提倡，因為對自己以及對社會，它是一種沒有污染的投資，也是一種沒有污染的享受。

讀書的方式可以這樣地平民化，讀書的結果又是這樣地高貴，那麼讓我們從自己及家庭做起。

西方有位哲人說得好：「當我有錢時，先買書，再買食物。」

願普天之下的人都變成讀書人！

一九九〇年一月

57

同一個地球，不同的世界

學與思

- 自由世界的的可貴，就在於資訊的開放，但必須有選擇的智慧，才不會浪費心力在氾濫的資訊上。
- 累積、傳播、分享資訊的重要工具之一就是書籍，讀書可以讓我們有遠見。

珍惜自由，善用資訊

共產世界與自由世界的最重要差異，不在物質的匱乏，而在資訊的缺乏。人民只能知道政府要他們知道的訊息，而無法知道他們自己想知道的訊息。

在自由世界，資訊的來源太多，已經到了氾濫成災的地步，讀者常常難以做合理的選擇。每年秋天回到美國教書，面對數不完的資訊，就面臨這樣的困難。這使我不得不採取一些「勢利」的辦法：

- 與我專業不相近的資訊，盡量少看（如娛樂新聞）。
- 在我專業領域內，就選擇權威性的著述看。
- 一般性著述的選讀，就要靠公正書評的推薦、出版社的信譽、以及作者本身的名聲。

在共產世界，資訊的來源受到限制，讀者缺少選擇的奢侈。對他們而言，最受歡迎的禮物不是俗氣的香菸、領帶，而是那邊看不到的書本與雜誌。

同一個地球，不同的世界。

生活在台灣小康社會中的人，最應當珍惜的是：讓自己在自由的天地中，做一個善用資訊的現代人；而累積、傳播、分享資訊的一個重要工具就是書籍。

分野在於開放的資訊世界與閉塞的飢渴社會。人不出門，可知天下事，正就是一個縮影。

讀書遠見

一九九二年一月中旬第三屆國際書展在台北舉辦，又引起了大家對「文化大國」的憧憬。

在一月十七日《民生報》的短評中，我指出：

當政策目標是「貿易大國」時，四十年來政府不斷在創造有利的「投資氣候」，使工商界在補貼、獎勵、保護、壟斷、獨占等等各種形態下獲得了蓬勃的發展。

當政策目標是「文化大國」時，政府當然也有同樣責任創造有利的「出版氣候」，使文化界與出版界能有發展的空間。

不幸的是，要擔當「文化大國」尖兵的出版界，實際上是弱勢的團體中最弱勢的團體。社會上的弱勢團體——從農民到無殼蝸牛——都還有代言人，誰代表出版界？

過去四十年中，政府曾以低利貸款、加速折舊、甚至免稅等方式鼓勵過生產事業，其中一些事業還製造了可怕的污染；但有哪一條獎勵措施，曾經鼓勵過傳播知識而不製造污染的出版業？

新聞局在推動書香社會、設置金鼎獎、舉辦國際書展等方面的努力值得肯定，但還要用心地鼓吹創造一個健康的「出版氣候」。

一位海外學者在花蓮參加金石堂書店成立剪彩時，當場揮毫，用毛筆寫了四個大字相贈：「讀書遠見」。讓我也引用這四個字贈送給海內外的讀者。

一九九〇年九月、一九九二年二月
二〇一九年十月更新

58

「聽君一席言」不如「手中一本書」

學與思

- 現場聆聽「一席言」固然可以感受到講者的風采、幽默與機智，但「讀書」的影響更為持久。
- 好書可以帶一個人走出無知的迷宮，更會帶一個人走進智識的殿堂。

「聽君一席言，勝讀十年書」，是一個令人嚮往的境界。它需要有兩個先決條件：一要有真才實學的人肯講；一要有虛心上進的人肯聽。如果兩者交集就能產生智慧的火花與共鳴。

可惜，在今天語不驚人死不休的作秀社會，古人所說的：「聽君一席言」已不可多得。即使在冷靜的學術領域與理性的政策討論中，自己也有兩次深刻的體認，覺得從「所寫的」要比從「所聽的」更有獲益。

「寫下的」更嚴謹

第一次發生在三十年前讀書的時候。那時被譽為「經濟泰斗」的韓森教授（Alvin Hansen）從哈佛到密西根來講授「財政政策」。輪到我註冊選課時，剛剛超過他規定的二十名。我去向顧應昌教授請教。曾在哈佛讀過他書的顧老師說：「你去向他請求，他很慈祥，很可能會讓你去修。」

事實上，我的課已修完，正在寫論文，但是內心很虛榮地盼望有機會聆聽大師的授課。找到韓森教授，聽完我的請求，他微笑地向我說：「年輕人，聽不聽我的課不重要，重要的是，你如果真想多學些財政政策，那麼好好地研讀這份講授大綱及讀書目錄。」接過那份大綱，我如獲至寶。他又接著說：「重要的理論都在那些書及文章中。『口授的』怎比得上『寫下的』來得嚴謹？但是，如果你還想來聽課，歡迎你來。」聽了一年的課，當然獲益很多。但是，韓森教授的那句話：「口授的怎比得上寫下的來得嚴謹？」一直影響了此後自己做學問的態度。

好書帶人走出無知的迷宮

在多年的教學生涯中，聽過了很多次的大小演講。近年來則自己愈來愈體會到「講的沒有寫的嚴謹。」

最近的一次體驗來自去年九月底在舊金山，由戈巴契夫所主持的「世界論壇」。在五天會議中，他做專題演講、做主持人、做引言人、做結論，最後並與布希、柴契爾夫人一起參加電視現場轉播的「世界局勢」會談。

五天之中，所有他講的，完全可以在他會議中分發的一本小冊中找到答案。書中所寫的，比他透過翻譯所講的更清晰、更合邏輯。這本名為《當前世界情勢：修改全球優先次序》的小冊，只有八十五頁。他以嚴謹的推理、簡潔的文字，闡述他最關心的十二個主題——從世界危機到人類新境界。

那麼對那些花費了五千美元來參加會議的，豈不大失所望？這也不盡然。固然「一席言」是可以在書中讀到，但是只有在現場，才能親自目擊及感染到他的風采、幽默、機智、以及他永遠說不完話的豐富表情。

我不敢低估「一席言」在當場可能產生的激情或回響；但我相信：「讀一本書」的影響會更持久。好書可以帶一個人走出無知的迷宮，更會帶一個人走進智識的殿堂。

一九九六年七月

59

一小座書城、一小方淨土
——「人文空間」的誕生

學與思

- 在「人文空間」，可以自由閱讀與相互交集，也可以沉思靜慮與自我成長。
- 「人文空間」的誕生，要回溯到一九七二年在哥本哈根教書的時光……透過設計大師姚仁祿先生巧思所散發的神韻，我們立刻感受到：「書櫃比酒櫃更醇人；一牆書比一壁精品更引人入勝。」
- 一個都市可以沒有迷人的夜總會，但不能沒有精緻的書店；擁有小書店多的城市，遠比擁有大銀行多的城市更富有。

在經濟學的英文教科書裡，常出現兩位大文豪的有名對話。費滋傑羅說：「你知道嗎？有財富的人跟我們是不一樣的！」海明威答：「對呀，他們擁有的錢比我們多。」

換一個場景，台北的兩位愛書人也有這樣的對話。

一位說：「你知道嗎？有財富的人跟我們是不一樣的。」

一位答：「對呀，他們擁有的書比我們少。」

很多知識份子都是愛書人、藏書人，甚至是寫書人、編書人、評書人。既是書的主人，也是書的僕人。

如果哥本哈根能，台北是否也能？

我是世界上很幸運的人——一生與書有緣、與知識有緣、與傳播觀念有緣。從學生到老師，從讀書到寫書；稍後又與友人共辦雜誌、共辦出版社，到今天共創「人文空間」。

這個取名「人文空間」書香園的誕生，要回溯到一九七二年在哥本哈根教書的那段日子。那時，從地大物博的美國，來到小而美的丹麥，立刻對北歐人民在生活品質及生活情趣上細緻的追求，產生了一種羨慕。常令我驚喜的是：穿過大街或走進小巷，終有埋伏的、外表不出色的、不期而遇的小咖啡店，以及各種小甜食店、小書店、小畫廊、小花店及小酒店。那些小店，都有它迷人的內在美，特別是擁有使人樂於再回來的親切氣氛。

如果哥本哈根能，台北能嗎？也許我們不要再悲觀。舉例來說，散布在師大及永康公園附近的，就有一些出色的小咖啡館，小花店及小禮品店。近年來台北更出現了不少有創意的藝文空間。誠品書店就是一例，它變成了台北人值得驕傲的地標。因此，我寫過：「一個都市可以沒有迷人的夜總會，但不能沒有精緻的書店。」、「擁有小書店多的城市，遠比擁有大銀行多的城市更富有。」

一個適合閱讀、靜思、交談和學習的場所

松江路上的九十三巷，提供了一個可能。這條小巷及附近的轉角處已經擁有了幾家有品味的小咖啡店、小餐廳、小畫廊。且看它們的名字：「書香花園」、「寂寞聖賢」、「賴著不走」、「紐約 Bagels」就引人流連忘返。

現在要擴大這條文化小巷的豐富性，我們結合了精緻的書本、誘人的咖啡及

點心，以及多姿多采的人文活動，提供一個可以靜思、閱讀、談話、以及學習的場所。

由於所設計的活動（如講座系列）偏重人文，而人文精神正是當前台灣社會所最欠缺的，因此，將這個場所取名為「人文空間」。英文是Cafe Encounter，意含在這個時空中，「千禧相逢」的緣分。

最為難得的是：由於室內設計大師姚仁祿先生的親自設計及參與，加上他的工作同仁的投入，使這個「人文空間」，即使在諸多限制下，仍展現了和諧與高雅的空間，以及無法抗拒的人文氣質。

看來簡單的設計中，蘊藏了設計者最多的巧思。

透過巧思所散發的神韻，我們立刻感受到：

書櫃比酒櫃更醇人。

一牆書比一壁精品更引人入勝。

生活的情趣是一本書、一杯咖啡、一些屬於自己的時間。

生活的豐富來自閱讀、學習、參與、分享。

就「天下文化」已出版的社會人文系列來說，我們就擁有這些重要的傳主及作者：齊邦媛、余光中、朱銘、劉其偉、星雲大師、證嚴法師、田長霖、孫震、吳京、郭為藩、林懷民、楊惠姍、張毅、柯錫杰……當他們以及其他人物出現在九十三巷「人文講座」時，台北的天空就出現了人文的光采。

這個位於松江詩園與伊通公園之間的「人文空間」，提供了一小座書城與一小方淨土。這裡可以自由閱讀與相互交集，這裡可以沉思靜慮與自我成長。

從九十三巷開始，期許更多有形和無形的人文空間，在更多城市，尤其是在人們心靈裡，出現！

二〇〇〇年六月

60

讀書與教書的幸運

——台北商職・台中農學院・台灣大學

學與思

- 年輕人應該勇敢走出去，才能打開視野，看見人外有人、天外有天的世界……。
- 這個世界最可靠的不是政府的承諾、不是別人的善意、不是第三方的支付，而是自己的爭氣。

人生之旅

當ＭＩＴ經濟系教授Robert Solow退休後獲得諾貝爾獎時，他的夫人講了一句名言：「只要活得久，美好的事就會不斷發生。」

自己已逾退休年齡，還是樂在工作，與我們近三百位知識工作者朝夕努力，傳播觀念，為社會進步盡一些心力，使我終身幸運。

貫穿一生的信念是「讀書」與「教書」，不是財富與權力。在我的思維中，「書」最具吸引力。它是啟蒙的「種子」，進步的「階梯」，打開封閉的「大門」。

因此我倡導：人生的起點，不是誕生，而是與書結緣的那一刻；人生的終點，不是死亡，而是與書絕緣的那一刻。

與書為伍的一生，就是「書生」；就是終身的知識之旅。

豐收季節

二〇一七年是豐收年，三件美妙的事接連在歲末發生。高中畢業的北商（一九五二～一九五四）慶祝百年；大學畢業的台中農學院農經系（一九五四～一九五八）舉辦七十年系慶；短期教書的台大商學系（一九七七）慶祝畢業四十週年。

一生中讀過六所學校，教過一所大學，六歲入學到二十八歲修畢學位，長達二十二年，這真是一個漫長的養成教育。

(1)蘇州讀小學（國民第一小學）。

(2)上海讀初中（復旦中學）。

(3)台北讀完高中（台北商職）。

(4)台中讀完大學（省立台中農學院）。

(5)南達科達州立大學（South Dakota State University, 1959-1961），修畢碩士。

(6)密西根州立大學（Michigan State University, 1961-1964），修畢博士。

(7)威斯康辛大學（University of Wisconsin—River Falls，1964-1998）經濟系授課：總體經濟、個體經濟、經濟發展、國際貿易、教育經濟等。

前二所是在中日抗戰中的大陸；後二所是在古人艱苦奮鬥中的台灣。一九五九年赴美讀書，是一生的轉捩點。這個二十三歲年輕人的視野閉塞、思維保守，從此逐漸開放。「開放」才能看到人外有人、天外有天的世界。從那一刻起，擴大了自己的見識與眼界。

這篇短文記述三個學校的讀書與教書。

「北商」百年

為了慶祝「北商百年」，「天下文化」參與出版了一本重要的書《自己的志氣最可靠：十二個修練成功的故事》。讀完全書，才更知道當年的台北商職，現在的台北商業大學，培育了十萬多名的人才，正如張瑞雄校長所說：「這些傑出校友分布在文化、化學、建築、會計、材料、運動器材、教育、文物、文創、流通、茶葉、經濟等研究。」我自己熟悉的傑出校友還包括了王建煊、謝長廷、許柯生、林孝達、蔡辰男、白文正等。

《志氣》生動地敘述了一群二十歲左右的北商人，跨出校門後的奮鬥歷程；對小確幸環境中長大的這一代，應會有極大的鼓舞。

書中多數的傑出校友名字早就熟悉，居然有些不知道彼此是師出同門。例如二〇〇五年一月高雄市長謝長廷要接行政院長前，邀他出席遠見城市論壇，介紹他時說「我們同是北商校友」，他十分驚訝，直說「以為你是建中畢業的。」再如寒舍艾麗酒店董事長王定乾成名已久，只是不知道他是校友，又是軍人子弟；天福集團總裁李家麟，我與他父親天仁茶王李瑞河先生相識多年，現在第二代接班，更是充滿創意；台灣經濟研究院景氣預測中心主任孫明德，是我的同行，他的預測對經濟波動的了解極有貢獻，居然也是校友。

其他如永光集團創辦人陳定川，良瑋集團創辦人尤利春，將捷集團總裁林長勳等等，都在他們各自的專業中獨領風騷。

細讀這些校友的奮鬥故事，更相信經濟發展中技職教育的重要，當前普通大學常見的弊病，已帶來了太多人力資源的浪費。

北商三年（一九五二～一九五四），學生印象中最深的就是吳仕漢校長的認真辦學及嚴格要求。自己受益於很多位好老師。畢業前夕，國文胡致老師寫了四個大字在黑板上：「自求多福」，從此它變成了我一生的座右銘。

這個世界最可靠的不是政府的承諾、不是別人的善意、不是第三方的支付，而是自己的爭氣。在十八歲時我就牢記在心，這是一生幸運的起點。

在農院成長

半世紀前在省立農學院農經系就讀（現在是國立中興大學應用經濟系）。今年母系慶祝七十週年，五百餘位系友在台中歡聚一度。送贈母系的話：「教我育我，毋忘初心」，正是我的心意。

七十年前，農學院沒有大樓，但有大師，近九百位求知欲強的青年，在樸實寧靜的校園中專心學習。

那些帶有大陸鄉音的老師——不論是教國文、經濟學、土壤學、合作學——都語重心長地歸納出一個難忘的結論：中國之窮，窮在農民；中國之弱，弱在農業；中國之貧，貧在農村。我們立刻感受到自己的責任是「以農立國，振興農業」。「樸精勤誠」的校訓，是要這些十八歲左右的學生認真實踐的。

我們受教於多位極負盛名的師長：教國文的徐復觀、英文的陳越梅、經濟學的劉道元、農業經濟的李慶麐、農業政策的張研田、農業合作的尹樹生、農業運銷的廖士毅等等。

那個年代學生的生活圈就在教室、圖書館、宿舍。有輛自行車是奢侈品，一個月的伙食費是一百二十元台幣，一個禮拜才有一次葷菜，清寒家庭申請到一個月二百元助學金，就可維持。如果週末口袋裡有五元台幣，去看一場電影（二元五角），吃一碗牛肉麵（二元五角），那就會令人羨慕。

大學四年，我走出了眷村，走進了農村；眷村的清寒，足以磨練志氣；農村的落後，必須尋找新的出路。

在大學期間，透過閱讀英文書和一些素材，這個眷村子弟決心要變成擺脫農業貧窮的新兵；立志要修習「經濟發展」。要使自己的國家擺脫貧窮，必須先研究為什麼別的國家會富裕。

我決定要趕上這列經濟成長思潮的新列車，並產生了強烈的意願到美國讀書。但眷村子弟怎有能力出國讀書？

赴美讀書

一份獎學金使我選擇了南達科達州立大學。在美國開放而又美麗的校園，宛如一座世界村，我跨出了第一步，那是一九五九年的秋天。

五年後去威大教書。雖然人在國外，只要返台，就會抽空回母系與師生交流。近年也設置了鼓勵優秀及清寒學生的獎學金。三年前（二〇一四年十二月）承母校的安排，在新建的國際農業研究中心大樓三樓成立了「高希均知識經濟研究室」，捐贈了千餘冊藏書，由我仰慕的姚仁祿大師設計。今天已變成了師生閱讀與聚會常去的場所。

歷年來農經系出了太多位對社會有貢獻的系友，如前後期的徐育珠、佘玉賢、林英祥、彭作奎等。母校給我的二個榮譽——傑出校友與名譽管理學博士，超過了想像，使我受寵若驚。

在母校的畢業典禮中，我期許中興大學的畢業生要追求「三中」：⑴變成社會的「中堅」；⑵發出「中間」的聲音；⑶結合「中國」大陸的人才與資源。

台大短期教書

父親一直希望這個抗戰前夕在南京出生的男孩，終身從事教育。中日抗戰前，父親只有師範中學程度，就擔任過家鄉江陰倪家巷小學的校長。他一直盼望我能安排短期回台教書。當我成行時，他已在三年前去世了。如果他健在，心中或有一絲驕傲與虛榮，看到了當年沒考上台大，此刻卻在台大教書的我。

一九七七年春季學期到台大商學研究所與商學系講授二門課：是關於人力投資理論及貨幣理論與財政政策。這些學生都聰敏好學，中英文及數學也好，繳作業很準時，也極有禮貌，常來我的研究室交流，真是一次愉快的經驗。因此兩年後，又再回來任教一次。我對台大同學的這些評價似乎比當時一般看法高出很多。

四十年前的「白吃午餐」

十一月十五日是台大校慶，一九七七年畢業的商學系舉辦了四十週年「返校節」。在加州大學爾灣校區會計系任教多年的何莉芸博士安排了難得的聚會。當年她就展現了組織領導的才能與熱情。二十多位同班同學，六位從美加、四位從香港專程回來。各有事業上的成就，很多位四十年沒見，但熱情、親切洋溢全場，也高興遇到了在政大財管系任教的屠美亞博士。席間他們送贈我一冊《紐約時報》編印的歷史大事記，起自我出生那年。

我提及四十年前的五月在班上把"There is no such thing as a free lunch"寫在黑板上，問大家「白吃的午餐」與「免費的午餐」哪個較順？多數選了「白吃的午餐」。此文在一九七七年五月七日二十七日《聯合報》刊出後，立刻引起了討論，到今天常有人這樣引用：「俗語說，天下哪有白吃的午餐……」。

八月出版了《翻轉白吃的午餐——台灣從小龍年代到溫水青蛙的警示》，剛好送贈每位一本，紀念當年師生共創了一個「俗語」。

或許我要做個附註：今年一月習近平在達沃斯世界論壇演講說：「中國人民深知：天下沒有免費的午餐。」他沒有用台灣的「俗語」，使我有些失望。

十年前六月在台灣大學畢業典禮致詞中，我期勉近九千位畢業同學（其中三千四百七十位為碩士，四百六十三位為博士），要做一位出色台大人，超脫顏色，不問藍綠，只問對錯與是非。

努力與幸運

六十年前在北商學到「自求多福」的勉勵；五十年前在台中農學院學到「中國之弱，弱在農業」的訓勉；四十年前與台大同學討論「白吃午餐」的普遍與影響，在國運顛簸、經濟貧窮翻轉中，透過努力，我找到了讀書與教書的幸運。

現實世界中，國家進步需要企業家與政治人物。誠心地向那些創造財富的「正派」企業家、那些為人民服務有「良心」的政治工作者致敬。

二〇一七年十二月

61

知識共享及學以致用

——中興大學「知識經濟研究室」啟用

學與思

- 世界上沒有一個現代國家，教育落後而經濟進步的；世界上所有的文明社會，必然是一個愛閱讀的社會，每個人都是終身閱讀者。
- 書不但是啟蒙的種子，更是學習的階梯、沉默的老師、知識的地圖、前進的力量、跨越無知的橋梁、打開封閉的門窗……大量閱讀對現代人是非常重要的事。

我是一介「書生」——為「書」而「生」。

自己何其幸運：一生與書結緣：讀書、教書、寫書，是一個教書人；後又投入「天下文化」變成了評書、選書、印書的出版人。這二個角色相互激盪，我都珍惜；變成了一生「樂在工作」的讀書人。

做讀書人最嚮往的就是知識分享，進而能學以致用，推動社會進步；這就是在母校（中興大學）於十二月二十六日啟用「知識經濟研究室」的最重要原因。

校訓「誠樸精勤」引導一生

在中日抗戰中出生的那一代，在顛沛流離中成長，父母最擔心的就是孩子的上學；孩子最渴望的就是有書可以念。因此童年根本不懂什麼是玩具，最想要的是書本。昏暗的燈光下，認真地讀每一行字。

十三歲隨著雙親從江南遷徙到了南港，十八歲考進了台中農學院農業經濟系（現在的中興大學應用經濟系）。一九五四年的九月從南港坐著火車一站又一站，在台中下車。第一次離開家，這個大一新生沒有恐懼，充滿了要吸收知識的激情。

「中國之窮，窮在農民；中國之弱，弱在農業；中國之貧，貧在農村。」多位老師的訓勉開導了自己：讀農業經濟實在是正確的選擇；「誠樸精勤」的校訓引導了自己一生的做人與做事。

農學院四年最常去的地方，就是靠近農經系那二層樓的小型圖書館。二樓有一小間放著二個櫃上了鎖的英文書。有一天終於鼓起勇氣，向館員借到一本談農產品價格的英文著作，如獲至寶。二小時之內就要歸還，不能外借。

劉道元老師（後來擔任興大校長）在我大三時，讓我晚間用他面對池塘的研究室，使我永存感激。他書櫃中的幾本英文書，就變成了我不斷細讀的參考書。

從大三開始，在英文材料裡，開始讀到「落後地區」、「經濟成長」、「貧窮的惡性循環」這些名詞，一門新的學科：「經濟發展」在一九五〇年代中期的西方世界開始萌芽。

我要趕上這班經濟成長思潮的列車，畢業前夕產生了強烈的意願想到美國讀書。一份助教獎學金，使我趕上了一九五九年南達科達州立大學的秋季入學。二年後獲得經濟碩士，九月轉赴密西根州立大學主修經濟發展。在三個月的空檔中，寫了一生的第一本書《經濟發展導論》，次年八月由台北的美援會出版。

文明社會必然愛閱讀

在美國近半世紀的教研生活中觀察到：世界上沒有一個現代國家，教育落後而經濟進步的；世界上所有的文明社會，必然是一個愛閱讀的社會——自己閱讀，家庭閱讀，社區閱讀，國會議員也閱讀，媒體人也閱讀，有錢人也閱讀，每個人都是終身閱讀者。因此在台灣，我利用所有的場合，特別是對大學生，都強調：大量閱讀對現代人的重要。

十分興奮我能把一千多冊藏書送贈母校，成立「知識經濟研究室」。可惜的是，自己三十多年來的英文藏書，在三年前都捐贈給在美執教的威斯康辛大學，住處也送贈學校，稱為：「KAO International House」，做為國際交流中心。

「書」在我一生體驗中，是啟蒙的「種子」、進步的「階梯」、沉默的「老師」、知識的「地圖」、前進的「力量」、跨越無知的「橋梁」、打開封閉的「門窗」。

這間研究室是由我仰慕的姚仁祿大師設計；在這淨純而又優雅的空間中，母校師生可以閱讀、討論、思考、寫作。

二〇一四年十二月

62

盡讀書人的責任

——來自父親的勉勵

學與思

- 父母對子女的教誨和引導，影響深遠，可以讓子女產生內在的力量，是他們一生最珍貴的寶藏。
- 父親反覆強調：「讀書人不能隨波逐流、沒有自己的判斷；讀書人要有明辨是非、擇善固執的勇氣。」

沒有父親從小對我的誘導，我大概不會走上教書與寫書這條路。這是一條崎嶇的路，一條要付出心血的路，也是一條會有收穫的路。

父親過世十七年了，他是一位倔強、盡責、平凡的少校文職軍官。每想到他對我的勉勵，我就會產生一種內在的力量，使自己要做好教書與寫書的工作。

受父親的影響最大

三十多年前參加大學聯招時，寫下的三個志願是：外文、經濟及農業經濟，結果讀的是第三志願——農業經濟。當時有些失望，如今回想起來，這個失望也正是日後要格外努力的動力。

在自己成長的過程中，最嚮往的三項職業是外交、新聞工作及大學教書。結果離開校門後，所從事的也是第三志願——教書。教了二十多年書以後，讓我再來選擇最嚮往的職業，我的順序毫無猶豫會是：教書、教書、教書。

我之當年會與讀農業經濟以及後來教書，受父親的影響最大。在他出生的年代（民前八年），中國農村就是貧窮的縮影，也是動亂的溫床，他希望他這個唯一的男孩能盡一些心力。對從沒有進過大學的父親來說，大學任教是一個又清高又有貢獻的職業。

在相當傳統的價值觀念中，父親從不希望我從政（政治講利害、不講是非），從不希望我從商（商人重利而輕義）；他時時刻刻耳提面命的是：要我做一個受人尊敬的教書人（有學問、有原則的讀書人最體面）！

要做一個體面的教書人，當然不只是在教室裡教書而已，必須要把自己的專業知識透過文章、專著、演講等推廣到社會。

社會上要有學者，在研究室裡為知識而知識；也要有些學者，走出學府推廣知識。我選擇了後者——這一條實用的路。我剛開始在威斯康辛執教的第一年（一九六四），父親常在信上告訴我：「不要做一個學生聽不懂的老師，寫讀者看不懂的書。」

當我第一本中文書《經濟發展導論》一九六二年出版時，我還在修學位，父親除了來信鼓勵之外，提醒我要「多蒐集資料與多做實地觀察」。第一本英文書《中華民國人才外流的研究》在一九七一出版時，父親來信說：「我看不懂英文，但希望有一天由於國家的進步，外流的人才會回到國內。」

留下最珍貴的遺產

父親去世前，我從美國趕回南港聯勤六十一兵工廠的眷村，眷村比我十五年前離開時進步多了，左右鄰舍都增蓋了房間，耀眼的油漆反映出眷村的生氣，那是一九七四年底。

患有嚴重肺氣腫的父親雖然顯得虛弱，但神情安詳。在床上，他以斷斷續續低微的聲音，一再告訴我：「這麼多年來，你的努力改善了全家的生活。教書對你最合適，不要離開大學的教書，要好好地教導學生，要好好地多寫些書，也應常多抽空回來，盡一些讀書人的責任。」

一九七七年的春天，我終於做了安排，回來第一次教書，可是父親已經不在人世三年了。從那一年起，我開始較有系統地在台灣討論現代的經濟觀念。《天下哪有白吃的午餐》（同年八月出版）就是在那個時候的一個紀錄，隨後我又先後寫了八本書。

沒有父親的誘導，我不會教書；沒有父親的勉勵，我不會勤於著述。每次去汐止秀峰山骨灰塔探望父親時，我總記得父親的話：「做一個教書人，就要好好地寫些書！」

如果我的一些觀點，如「決策錯誤比貪污更可怕」，曾引起共鳴，父親一定提醒我「不要得意」；如果另一些觀點，如「大學學費應當合理調整」，曾引起誤解，父親一定會鼓勵我「不要氣餒」。在給我的五百多封家信中，父親反覆強調的就是：

讀書人不能隨波逐流、沒有自己的判斷

讀書人要有明辨是非、擇善固執的勇氣。

父親逝世時沒有留下任何財物，但留給了他的子女最珍貴的遺產：愛國家的信念、愛民族的言行，以及盡忠職守的紀錄。

一九九一年一月